用對的方法充實自己，
讓人生變得更美好！

凱信企管

用對的方法充實自己，
讓人生變得更美好！

無敵300生活常用語

曾婷郁◎著

學習無壓力

5大主題×1500句超實用會話

學最實用的生活口語才最有用！
常用Top300句，搞定日常大小事。

從開始寫英文考用、學習工具書至今，不知不覺已經累積有十多本的作品了，而每一次在籌備的過程裡，我最終的目的只有一個──就是真心希望幫助想把英文學好的讀者們，能夠藉由這本書在英文的學習上有好的收穫，能夠持之以恆、有信心的持續學習，如此才真的能夠實現「英文說得呱呱叫」的夢想，畢竟想把英文學好，真的不是一蹴可成的。

但我也發現，許多有心想學好英文的人，通常希望能夠學習通吃，於是在坊間買了複雜的工具書之後，沒多久就因為內容太多、太艱深而放棄，在自學受挫後，漸漸地就澆熄了學英文的滿腔熱情，真的很可惜！所以，想要真的能夠貫徹並持續英文學習力，首先一定要先確立學習的目標，然後再尋找符合需求並適合的學習工具書。

這一次，會以「英文常用語」為重點，主要是因為我覺得學語言的目的就是為了要能「溝通」，尤其對學了很多年英文的人來說，能夠快速地開口說並聽懂對方在說什麼，是很重要的！因為不論是為了工作、旅遊甚至是出國進修，能夠溝通是首要。而要學會溝通，當然就要先學會英文母語人士最愛說的常用語，並試著運用、融入日常生活對話，如此方能快速並輕鬆地用英語對談、建立學習英文的自信。

書中收錄老外最常用的 300 句俚語、口語會話，並以情境單元分類，內容包含食衣住行、工作職場、情感表達……等，一共收錄約 300 組生活中最常用的口語供讀者學習，讓你能在最短的時間內，真正融入道地英語會話的口語方式，不再浪費時間學些生硬、不實用的內容；不僅如此，本書還能幫助您培養英語思維，漸漸習慣以英文思考，自然而然地學好英文，讓您在英文世界裡溝通無障礙！誠摯期望這一本專門針對常用語英文的學習工具書，能讓你開口說並聽得懂，快速融入老外的生活圈裡。

曾婷郁

Contents 目錄

User's Guide 使用說明

【最口語的 300 句】

5 大主題╳1500 句實用會話，生活起居、工作學習、喜怒哀樂、人際社交、逛街購物、……只要學會這 Top 300 句實用生活英語，一切沒問題！

【最實用的 300 句】

沒有艱深的單字，皆是最常見的各個生活場景，讓你清楚知道什麼場合要說什麼合宜的英語，「實際說說看」的對話設計，讓你和老外聊天暢所欲言；實用例句，同時也讓你能完整表達或聽懂別人的想法。

實際說說看
A I think she is very honest.
我覺得她很誠實。
B I don't believe so.
我不這麼認為。
A I did my best on the test.
這次考試我已經盡我的全力了。
B I don't believe so.
我不這麼認為。
Do you think she's pretty? I don't believe so. 你覺得她很漂亮？我不這麼認為。
實際說說看
A I think she is
我覺得她很誠實
B I don't be

【最到位的 300 句】

英文的常用語，很多時候光看表面的字義是無法了解其真正涵義的，每一個字都有「更多可能性」。本書悉心解析，讓你不怕開口說錯話，延伸學習更多更廣。

"dead horse" 是「死馬」的意思，但 "beat a dead horse" 卻跟中文常說的「死馬當活馬醫」一點關係都沒有，它字面上的意思是「毆打一隻死馬」，其實指的是「白費力氣；徒勞無功」的意思。也可以說 "flog a dead horse"，也是「白費力氣」的意思。

【特別附贈】

聽、說雙威全英 MP3，特聘外師以純正美語錄音，每一常用語單獨一音軌，想聽哪一句直接查找更方便，只要用聽的，口說、耳聽英文力立即提升。

Chapter 4 MP3 *Track 237*

Cut it out!

別鬧了（停止打鬥、爭吵等）！

萬用口語篇

Chapter 1 MP3 *Track 001*

What's up?

近來過得如何？

A Hey! **What's up?**
嗨！近來如何？

B Nothing much! As usual.
沒什麼，和以前一樣啊。

A What's up?
近來如何？

B I am starting my new job.
我要開始我的新工作了。

更多可能性

“What's up?”幾乎等同於“Hello”，是國外很常見的口語問候，還可以更簡短地說 “Sup?” 。
也許你會問：「什麼？用Sup就可以了！會不會不禮貌？」別擔心，當和同儕一起或朋友相遇時，這是非常OK的用法哦！

Chapter 1 MP3 *Track 002*

See you later.

待會見；再聯絡。

A **I have to go.**
我要走了。

B **See you later!**
再聯絡！

A **I will have to go home and change first. See you at the party.**
我得先回家換衣服。等一下派對見。

B **See you later.**
等一會見。

更多可能性

“See you later” 還可以簡短地說成 “See ya” 或更常見的 “Laters”。
有時雖說 “See you later”，但僅是道別的意思，不一定代表著真的等一下就會再見面哦！

Chapter 1 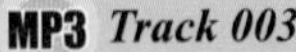

I mean it.

我是說真的。

A Do you really want to quit your job?
你是真的想要辭職嗎？

B I mean it.
我是說真的。

A Go now! I mean it.
現在就走！我是說真的。

B OK! OK!
好啦！好啦！

Get serious! I mean it.
認真點！我是說真的。

父母可能會對小孩說：
“Go to bed. I mean it!”（去睡覺，我是說真的）。
這句話可以用來表達說話的認真程度。

Mind your own business. 別多管閒事。

A **What were you talking about?**
你們剛剛在說些什麼？

B **Mind your own business.**
別多管閒事！

A **I think I'd better go stop their fight.**
我想我最好去阻止他們吵架。

B **Mind your own business.**
別多管閒事！

Mind your own business. I'll do it by myself.
別多管閒事！我會自己做。

類似的說法還有"None of your business"，也就是「不關你的事」的意思。

Chapter 1 MP3 *Track 005*

Hold on.
請稍等。

A **May I leave a message, please?**
我能留個言嗎？

B **Hold on.**
請稍等。

A **Hello, may I speak to Mary, please?**
哈囉！我可不可以跟瑪麗說話？

B **Hold on.**
請等一下。

Hold on. I'll come back to you soon.
請稍等，我稍後回來。

"Hold on" 還有抓住的意思。
例如："Hold on tight to your dreams."
（抓緊你的夢想）。
類似的還有 "Hold up"，有攔截、搶劫的意思。

Whatever!

隨便你。

A **Shall I tell him tonight or tomorrow?**
我該在今晚或明天告訴他？

B **Whatever!** 隨便你！

A **If you don't listen to me, you will regret.**
如果你不聽我的，你會後悔的。

B **Whatever!** 隨便你！

Whatever! You can make the decision by yourself. 隨便你！你可以自己做決定。

跟在台灣一樣，"Whatever"（隨便）是個不受歡迎的字眼。"Whatever"是「隨便、無所謂」的意思，經常讓人感受到不在乎、不重視的輕率態度。

After you.

你先請。

A Please come in.
請進。

B After you.
你先請。

A Let's go in there.
我們進去吧！

B After you.
你先請。

"after" 這個字除了「在……之後」，還有「尋找；想要」的意思，尤其這一句 "What are you after?" 在澳洲很常用，意思就是「你在找什麼？你想要什麼？你的目的是什麼？」下一次，當看到有人在找東西的時候，你就可以問對方一句： "What are you after?" 囉。

Nonsense!

胡說八道！；亂講！

A I can hold my breath for half an hour. 我可以憋住呼吸半小時。

B Nonsense! You will die by then. 胡說八道！你那樣會死掉。

A Tell me the truth. I don't want nonsense. 告訴我實話，我不要聽胡說八道的話。

B I am telling the truth. 我是說實話啊。

I don't like to hear nonsense. 我不想聽胡說八道。

"nonsense" 除了「胡說八道」的意思，也指「無價值、不重要的東西」。
例如："It's just a bunch of nonsense on TV."（電視上都是一堆沒營養的東西。）

Chapter 1 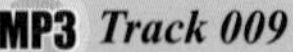

Cheer up!

振作點！

A **John broke up with me last night.**
約翰昨晚和我分手了。

B Cheer up! **It's not the end of the world.** 振作點！又不是世界末日。

A **We lost the game again!**
我們又輸了比賽！

B Cheer up! **You'll do better next time.**
振作點！你下次會表現更好的。

Cheer up! **Don't be too sad.**
振作點！別太傷心了。

除了"Cheer up!"（振作點！）還能說"cheer someone up"（叫某人振作／開心點）
例如："How can I cheer you up?"
（怎麼做能讓你開心點？）

No way!
不行！

A **Can you lend me your car?**
你可不可以借我車子？

B **No way! Remember what you did to it last time?**
不行！記得上一次你做了什麼好事嗎？

A **Let's have pizza for lunch.**
我們中午去吃披薩。

B **No way! I hate pizza.**
才不要呢！我討厭披薩。

No way! I won't help you.
不行！我不會幫你。

"No way!" 還有「不會吧！」的意思。
例如：A: Brad Pitt is my cousin.
（布萊德彼特是我表哥。）
B: No way!（不會吧！）

Chapter 1 MP3 *Track 011*

Go for it.

加油！

A It's an important test.
這是一個很重要的考試。

B Yes, I will go for it!
對啊！我會加油！

A You will do fine. Go for it!
你會做得很好，加油！

B I'll do my best.
我會全力以赴的。

Go for it. You'll make it.
加油，你會成功的。

"Go for it." 有激勵、鼓勵的意味，就像中文常說的「加油」一樣。

Chapter 1 MP3 *Track 012*

Who cares!

誰管你呀！

A Please lend me your car. I need to pick up my girlfriend tonight.
請借我車子，我今天晚上要去接我女朋友。

B Who cares! I need it myself.
誰管你呀！我自己需要。

A I can't finish my homework. Can you help me to do some?
我的功課做不完了！你可不可以幫我做一些啊？

B Who cares!
誰管你呀！

"Who cares" 也有「誰在乎；這沒什麼」的意思。
例如：A: He is a famous singer. How did I not recognize him?（他是有名的歌手，我怎麼沒認出他？）
B: Who cares? You don't like his music anyway.（這又沒什麼，反正你也不喜歡他的音樂。）

I'll get it.

我來接（電話）。

A **The phone is ringing.**
電話在響。

B **I'll get it.**
我來接電話。

A **I am in the shower. Someone get the phone!**
我在洗澡，誰接個電話吧！

B **I'll get it.**
我來接。

"I'll get it" 的使用較廣泛，有「讓我來吧！」的意思，所以不只能用於接電話，聽到有人敲門，如果你要去開門，你就可以跟旁人說 "I'll get it."；或是水煮開了，水壺響了，你想去把瓦斯關掉，也可以用 "I'll get it."。

It depends.

看情形。

A **When will you wake up?**
你什麼時候會起床？

B **It depends.**
看情形。

A **When will you buy a new car?**
你什麼時候要買新車？

B **It depends on when I will have enough money.**
這要看我什麼時候有足夠的錢。

更多可能性

"It depends" 在一般社交場合或正式演講都可能聽到，是個很常見、實用的常用語。通常用在當有人詢問你的意見而難以抉擇或是還沒有決定時，就可以用 "It depends" 來表達。

Out of the question!

不可能的！

A Do you think John dumped Mary?
你覺得是約翰把瑪麗甩了嗎？

B Out of the question! He loves her very much.
不可能的！他很愛她。

A Could I borrow your bike?
我可以借你的單車嗎？

B Out of the question!
不可能！

"Out of the question" 通常是用來形容太扯了，根本不可能的事。
例如："A pay rise is out of the question."
（加薪是不可能的。）
但如果是 "Out of question"，少了一個 "the"，意思就完全相反，變成了「無庸置疑」的意思，在使用上要特別小心哦！

Allow me.
讓我來！

A This box is so heavy.
這盒子好重。

B Then allow me.
讓我來吧！

A Please allow me to open the door for you. 讓我來幫你開門。

B Thank you. 謝謝。

Allow me to help you.
讓我來幫你。

"Allow me" 可用於幫別人做事的時候，例如，替別人開門，可說 "Allow me."。

Calm down.

冷靜一點。

A Calm down. **It's not such a big deal.**
冷靜一點，沒什麼大不了的。

B **You won't understand.** 你不會懂。

A **You had better** calm down, **or else you will get into trouble.**
你最好冷靜一點，不然你就有麻煩了。

B **Are you threatening me?**
你在恐嚇我嗎？

I tried to calm down **when I heard the bad news.**
聽到這個壞消息時，我嘗試著冷靜。

"Calm down"可用來安撫或是警告人，還有另一種口語化的說法："Chill out!"（放輕鬆；冷靜點！）。

Thank you.

謝謝。

A **Here is your book.**
你的書在這裡。

B **Thank you.**
謝謝你。

A **You are beautiful.**
你很漂亮。

B **Thank you.**
謝謝你。

Thank you for coming today.
謝謝你今天過來。

除了“Thank you for...”也可以說“Thanks for +Ving”表達謝意。另外，“Thanks a lot.”（非常感謝）、“I appreciate it.”（我很感激）……都能表達強烈的感謝之意。

Chapter 1 MP3 *Track 019*

You're welcome.

不客氣。

A **Thank you for the flowers.**
謝謝你的花。

B **You're welcome.**
不客氣。

A **Thank you for lending me the money.**
謝謝你借我錢。

B **You're welcome.**
不客氣。

更多可能性

除了"You're welcome"，還能說"That's alright"、"It's nothing"、"Don't mention it"來回應對方的道謝。
「語言」就是這麼地活潑有趣！同樣的意思，可以有不同的表達方式，下次不妨也跳脫一成不變的模式，讓學習更有樂趣。

Goodbye.

再見。

A Goodbye!
再見！

B Come visit soon.
快點再來喔！

A Take care!
照顧自己喔！

B You too! Goodbye!
你也是喔！再見！

Goodbye everyone.
大家再見。

也可以簡短地說“Bye!”；其他常見的道別方式還有“Laters”、“See ya!”、“Ciao!”等。

How are you (doing)?

你好嗎？

A How are you?
你好嗎？

B **Fine. thank you.**
很好，謝謝。

A How are you?
你好嗎？

B **Not very good. I got a cold.**
並不是很好，我感冒了。

更多可能性

除了“How are you?”，更多人會說“How's it going?”，同樣是「你好嗎？；最近如何？」的意思，類似於我們常說的「你吃飯了嗎？」，就是寒暄一下，大部份時候是不需要你認真思考以後給具體答案的。

Not again!

不會吧！

A We've been fooled.
我們被騙了。

B Not again!
不會吧！

A Everyone's late.
每個人都遲到了。

B Not again!
不會吧！

"Not again" 通常用來表達「不會吧！又來了？」的意思。

例如：A: She got lost.（她迷路了。）
B: Oh no. Not Again!（不會吧！）

No worries.

別擔心、別客氣。

A **I will help you.** No worries.
我會幫你的，別擔心。

B **Thank you.**
謝謝你。

A **Thank you for coming.**
謝謝你來。

B No worries.
別這麼客氣。

It's nothing. No worries.
小事一件，別客氣。

"No worries" 在英、澳是很常見的說法，表示「不會」、「沒關係」，用在道謝或者道歉的話後面都可以接。其他的表達方式還有 "Don't worry about it"。

 MP3 Track 024

Good night.

晚安。

A Good night, **everybody.**
大家晚安。

B **Good night, Jill! Have a sweet dream.**
吉兒，晚安！祝你有個好夢。

A **Time to get to bed.**
該睡覺了。

B Good night.
晚安

在美式口語中，道晚安可以直接用“Night”（晚安）來表示，它就是“Good night”的簡化形式。另外，也可以直接用“Sleep tight”（睡得安穩）、“Sweet dreams”（祝你有好夢）來祝別人晚安、好夢。

Chapter 1 MP3 Track 025

Sure!

可以呀！

A Could I use your computer?
我可不可以用你的電腦？

B Sure!
可以啊！

A Shall we go now?
我們現在可以走了嗎？

B Sure!
當然可以！

sure基本上就等於“yes”，純粹在回答對方的話，表示肯定。其他口語的說法還有“Sure thing!”、“Absolutely!”、“Of course!”。但若連續說“Sure,sure”兩次，目的就是加強語氣，帶點不耐煩或是敷衍的意味，意思大不同哦！

Of course.

當然！

A Could I borrow your car?
我可不可以借你的車？

B Of course. 當然！

A Did you win first place in that swimming contest?
你在游泳比賽贏得了第一名？

B Of course.
當然。

Of course you are my friend.
你當然是我的朋友。

“Of course”有時候會給人「當然！我怎麼可能不知道、不會」的意思，使用時應多注意對象、語氣。

Why?
為什麼？

A Why can't I go with you?
我為什麼不能和你一起去？

B Because it is dangerous.
因為那很危險。

A Sarah is not coming.
莎拉不會來了。

B Why?
為什麼？

更多可能性

同樣意思的詞還有“How come?”（怎麼會？）如同我們用中文問原因時，也不是一定都用「為什麼」，有時可能會用「怎麼」來替代。例如：「你怎麼看起來那麼累？」比起“Why”，“How come?”（怎麼會？）也是很口語、輕鬆緩和的說法。

Up to you.
你決定吧！

A What do you want to eat?
你想吃什麼？

B Up to you.
你決定吧！

A Do you want the black tie or the red one?
你想要那條黑的還是紅的領帶？

B Up to you.
你決定吧！

I don't mind. It's up to you.
我沒意見，你決定吧！

"Up to you" 除了「你決定吧！」還有「取決於你」的意思，當你認為「沒關係，你決定就好」或是你還沒有想好，讓別人決定時，就可以使用它。

Never mind.

沒關係。；不要緊。

A **I am sorry that I broke your radio.**
對不起，我把你的收音機弄壞了。

B **Never mind.**
沒關係。

A **I forgot to bring your book.**
我忘記把你的書帶來了。

B **Never mind.**
沒關係。

Never mind. Don't blame him.
沒關係，別責備他了。

"Never mind" 可以用在別人跟你道歉的時候說，是「沒關係；沒什麼；算了」的意思，帶點無奈的意味，因此在使用時要注意語氣，以免失禮哦！

That's all right.
沒關係。

A **Sorry, I forgot to buy the salt.**
對不起，我忘記買鹽了。

B **That's all right.**
沒關係。

A **I didn't mean to bump into you.**
我不是故意撞到你的。

B **That's all right.**
沒關係。

That's all right. I'll solve the problem.
沒關係，我會解決這個問題。

"All right" 與 "Alright" 通用，但後者較常見。Alright屬於口語用法，比較不適合用在正式場合。比較常會在漫畫對話裡看到。

I don't know.

我不知道。

A Do you know where the police station is?
你知不知警察局在哪裡？

B I don't know. 我不知道。

A Do you know where my socks are?
你知不知道我的襪子在哪裡？

B I don't know. 我不知道。

I don't know what you are talking about.
我不知道你在說什麼

「我不知道」除了說 "I don't know." 之外，還可以說 "I have no idea." ，也是相同的意思。

Is there anything wrong? 有問題嗎？

A **The boss was very angry at the meeting.** 老闆昨天在會議上很生氣。

B **Why?** Is there anything wrong?
怎麼了？有什麼問題嗎？

A **I want my money back!**
我要退錢。

B **Why?** Is there anything wrong?
為什麼？有什麼問題嗎？

Is there anything wrong? **Please tell me.** 有什麼問題嗎？請告訴我。

也可以簡短地只說"Anything wrong?"，意思是一樣的哦！

Chapter 1 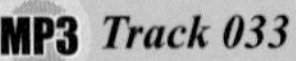

No problem.

沒問題。

A Could I borrow your car tomorrow?
我明天可以借用你的車嗎？

B Sure! No problem.
當然，沒問題。

A Could you finish this painting tomorrow?
你明天可不可以完成這幅畫？

B No problem. 沒問題。

No problem. I will help you.
沒問題，我會幫你。

"No problem" 等同於 "Sure" 、"Of course" ，都是「當然；沒問題」的意思。

Why not?

為什麼不？

A You can't go out today.
你今天不可以出去。

B Why not?
為什麼不行？

A Danny won't be coming tonight.
丹尼今天晚上不會來了。

B Why not? Is he sick?
為什麼不？他生病了嗎？

Why not play with us?
為何不跟我們一起玩呢？

"Why not" 同時有「為什麼不行？」跟「為何不？當然好」的意思。

I don't understand...

我不懂……

A **What did Larry tell you?**
賴瑞跟你說了什麼？

B **I didn't understand a word of what he was saying.**
他說的話，我沒有一個字聽得懂。

A **Betty broke up with her new boyfriend.**
貝蒂和他的新男朋友分手了。

B **I don't understand how this could happen.** 我不懂為什麼會發生這種事。

I don't understand why she is sad.
我不懂她為什麼會難過。

也能說"I don't have a clue."（我毫無頭緒……）表達相同意思。

And then?

然後呢？

A **The black wolf blew at the little pig's house.**
那隻黑狼對著小豬的家吹氣。

B **And then? What happened?**
然後發生了什麼事？

A **You should take this form to the first counter.**
你要把這張表格拿去第一個櫃檯。

B **And then? What should I do?**
然後我該怎麼做呢？

"And then?" 可用來詢問後續發展，也有「然後呢？」的意思。
例如：And then? Get to the point.
（然後呢？說重點。）

Chapter 1 MP3 *Track 037*

So what?

那又如何？那又怎樣？

A **Do you know there is a new theater down the street?**
你知道街上開了一家新的戲院嗎？

B **Yeah. So what?** 知道啊，那又怎麼樣呢？

A **Remember the books you lent me last week?** 你記得你上禮拜借我的書嗎？

B **Of course. So what?**
當然囉，那又怎麼樣呢？

So what? What do you exactly mean?
所以呢？你到底是什麼意思？

“So what?” 的用法，容易讓人有不耐煩的感覺，所以說的時候要盡量注意語氣。

It's alright.

還好。

A Is everything OK at school?
學校的一切都還好嗎？

B Yes, everything is alright.
是啊，一切都還好。

A How's your steak?
你的牛排如何？

B It's alright.
還好啦。

It's alright for me to travel alone.
要我一個人旅行沒有問題。

"Alright" 是「還可以、沒問題」的意思，也可以說 "All right" 或 "Aight" 都是一樣的意思。

Chapter 1 MP3 *Track 039*

I am okay.

我沒事。

A **Are you hurt?**
你受傷了嗎？

B **I am okay.**
我沒事。

A **Are you going to be alright by yourself?** 你自己一個人可以吧？

B **I am okay. Don't worry about me.**
我沒事的，別擔心我。

I am okay. I will get through it.
我沒事的，我會捱過去的。

特別提醒，在外國人“I am okay.”的理解有兩個可能意思：1. 我其實不太好，但不致很差；2. 我沒什麼特別感覺，所以敷衍回答「我還不錯！」。若想真誠地的回答「我很好」，可以用“I am good.”

 MP3 *Track 040*

Bon voyage.
一路順風。

A We are leaving for Boston tonight.
我們今晚要出發去波士頓。

B Bon voyage.
一路順風。

A Bye! Bon voyage!
再見！一路順風。

B See you next year.
明年見囉！

Bon voyage and have fun!
一路順風、好好玩！

“Bon Voyage” 來自法語，相同的表達方式還有“Have a nice trip!” 或 “Farewell!” 。

Chapter 1 MP3 Track 041

What happened?

發生了什麼事？

A Lucy is crying.
露西在哭。

B Why? What happened?
為什麼？發生了什麼事？

A What happened over there?
那邊發生什麼事？

B I don't know.
我不知道。

She doesn't know what happened.
她並不知道發生了什麼事。

當要討論特定對象時，可以用 "What happened to someone?" 。另外，有類似的説法 "What's wrong?" （怎麼了？）不過 "Wrong" 在字義上通常代表不好的事，所以是不能全部通用的。

Come on!

來嘛！拜託！

A **I don't want to go to the party.**
我不想去參加那個派對。

B **Come on! Don't be shy.**
來嘛！別害羞。

A **I am afraid to talk to Jenny.**
我不敢跟珍妮說話。

B **Come on! Be a man!**
拜託！像個男人吧！

Come on! Don't be afraid.
來嘛！別怕。

更多可能性

"Come on" 用在對話裡，還有幾個不同的意思。除了有「跟我來」以及有鼓勵、加油含義的「拜託」之外，也常用在要對方支持自己觀點或質疑別人觀點上，解讀時，要先弄清楚前後文意思，才不致會錯意哦。

Stop!

停！

A Stop! **You are going to bump into that tree!** 停！你要撞到那棵樹了。

B **Stop yelling!**
別叫了！

A Stop! **You are slipping into the river!**
停！你快要跌進水裡了！

B **Oh, thank you.**
噢，謝謝你。

Stop! **There is a car coming!**
停！有一台車來了。

使用Stop的命令句，後方動詞都必須加ing。
例如：“Stop complaining!”（別再抱怨了！）、
“Stop ruining everything.”
（別繼續搞砸一切。）。

Where is this?

這是哪裡？

A Where is this?
這是哪裡？

B I don't know. I think we are lost.
我不知道，我想我們迷路了。

A Where is this?
這是哪裡？

B This is the post office.
這裡是郵局。

Excuse me, where is this?
請問這是哪裡？

"Where is this?" 換個說法也可以；例如，"What is this place?"（這是什麼地方？）或是"Where are we?"（我們在哪？）也都是類似的意思。

Chapter 1 MP3 *Track 045*

This is ... speaking.

我是……

A **Who is it?**
誰啊？

B **This is Sharon speaking.**
我是莎朗。

A **This is Tom speaking. May I help you?**
我是湯姆。我可以幫你嗎？

B **Yes, I want to make a reservation.**
是的，我想要訂位。

更多可能性

講電話時，絕對別說“Hello,I'm...”，除了“This is... speaking.”外，你也可以直接說“Hello, it's...”、“It's...calling”或“This is...calling.”。

by the way
順道一提

實際說說看

A **By the way, where is the bathroom?**
順道一提，廁所在哪裡？

B **Just around the corner.** 就在轉角。

A **We are going to have a meeting this afternoon. By the way, are all the files ready?**
我們今下午要開會，對了，資料都準備好了嗎？

B **Yes, they are all right here.**
好了，它們都在這裡。

By the way, I'll call you back later.
順道一提，我等等會回電給你。

更多可能性

"By the way" 是很實用的常用語，有「順帶一提、對了」的意思；若想用得更正式，則可以用" Incidentally" 取代。

Wait for me.

等等我。

A **You are going too fast. Wait for me.**
你走太快了啦！等等我。

B **Then hurry up.**
那麼你快一點啊。

A **We are going to leave now!**
我們現在就要走了。

B **Hey! Wait for me!**
喂！等等我啊。

Wait for me please.
請等等我。

"wait for" 單指「等待」，而 "wait up" 則有等候著不睡、熬夜等待，就是「等門」的意思。
例如："Don't wait up."（別等門了。）

in short

總而言之

A **So how was your trip to London?**
你的倫敦之旅如何啊？

B **It was great in short.**
總而言之，很棒就是了。

A **In short, Sally doesn't love Ted anymore.**
總而言之，莎麗已經不愛泰德了。

B **No wonder she is filing for a divorce.**
難怪她在申請離婚。

更多可能性

"In a word" 也有表示「總之」的意思，指前句說的內容進行歸納總結，和 "in short" 都是比較常用的口語；另外 "in conclusion"、"in sum" 以及 "in summary" 則比較常見用於書面上。

Chapter 1 MP3 *Track 049*

in any case

無論如何

A **You don't need to worry in any case.**
無論如何，你都不需要擔心。

B **Are you sure?**
你確定嗎？

A **We have to get these done in any case.** 無論如何，我們都需要把這做好。

B **I don't think that we can make it.**
我覺得我們做不完了。

We shouldn't do this in any case.
我們無論如何都不該這麼做。

更多可能性

"In any case" 是「無論如何；不管發生什麼情況」的意思，也相當於 "Whatever happens"（不管發生什麼事）。

That's because...

那是因為……

A **Why did you leave your job?**
你為什麼離開你的工作？

B **That's because my boss fired me.**
那是因為老闆把我開除了。

A **Do you know why she is crying?**
你知道她為什麼在哭嗎？

B **That's because her mother died.**
那是因為她媽媽死了。

I'm late and that's because I overslept.
我遲到是因為睡過頭。

也可以說“That's because of...”後方需接名詞。
例如：“That's because of my laziness.”
（因為我太懶了。）

Chapter 1 MP3 *Track 051*

Have fun.

玩得盡興點。

A We're leaving for the beach.
我們要向海邊出發了。

B Have fun.
玩得盡興點。

A Have fun on your honeymoon.
祝你們蜜月旅行玩得愉快。

B Thank you.
謝謝。

更多可能性

"Have a good time."（祝你玩得愉快）、"Have a good one."（祝你有愉快的一天），可以表達同樣意思。順帶一提，"have fun"不一定是指一定要玩得盡興，而只要是你能夠用輕鬆愉悅的心情去做某件事，達到舒服自在的心情，就是"have fun"了，所以即使有時是在學習，外國人也會來句"have fun"。

Frankly speaking,...

坦白說，……

A Frankly speaking, **I don't like Joe.**
坦白說，我不喜歡喬。

B **Neither do I.** 我也不喜歡。

A Frankly speaking, **I think the party was a failure.**
坦白說，我覺得派對很失敗。

B **You are right.**
你說的沒錯。

Frankly speaking, **I don't know the answer.** 坦白說，我不知道答案。

"Frankly speaking" 可以直接說成 "Frankly, ..." 也是「坦白說」的意思。

If...
如果……

A If **you know the answer, please tell me.** 如果你知道答案，請告訴我。

B **I am afraid I do not know.**
恐怕我不知道。

A If **I had listened to my mother, things wouldn't have been like this.**
如果我當時聽了我媽媽的話，事情就不會這樣了。

B **Can you stop complaining?**
你可以停止抱怨嗎？

If **I were you, I would tell him the truth.** 如果我是你，我會跟他說實話。

"If" 通常用在四種狀況：1.常理、現在事實以及指示動作；2.未來可能發生的事情；3.幻想的，不太可能發生的情況；4.形容過去如果怎樣，就可能會怎樣的事。

My God!

我的天啊！

A My God! **Your room is such a mess.**
我的天啊！你的房間真亂。

B **OK. I will clean it up right now.**
好啦！我現在就整理。

A My God! **What happened here?**
天啊！這裡發生了什麼事？

B **Your dog was chasing a cat in here.**
你的狗剛剛在這裡追一隻貓。

My God! **Someone stole my bag.**
天啊！有人偷走了我的背包。

“My God” 用來表達驚訝、憤怒或感嘆，也常有人說 “Jesus Christ!” ，這是很多人的口頭禪，但也稍微注意，說得太過火還是有可能冒犯到虔誠的人。

Let me think...

讓我想想……

A **Two thousand dollars is my best offer.** 兩千元是我最後的底限。

B **Let me think about it.**
讓我想一想。

A **I am so bored.**
我好無聊喔。

B **Let me think of what to do.**
讓我想一下要做什麼。

Let me think of what you might need.
讓我想想你可能需要什麼。

"Let me think" 當中的 "let" 是「讓；給時間」的意思，也可以說 "Let me see" 、 "Let me check" （我看看）。

On the contrary,...

相反地，……

A **Did you have a good time at the party?** 你們在派對上好玩嗎？

B **No, on the contrary, it was boring.**
相反地，好無聊。

A **So did they get married?**
他們結婚了嗎？

B **On the contrary, they broke up.**
相反地，他們分手了。

更多可能性

在英文寫作時，“On the contrary”（相反地）常容易和“In contrast”（對照之下）、“On the other hand”（另一方面）這兩個片語混淆，造成寫作困擾。因此，在寫作時，一定要分清楚這三個片語的解釋和用法，才不會產生混淆。

Got it.

收到。；了解。

A **You have to get this done by tomorrow.**
你明天以前一定得把這做好。

B **Got it.**
收到。

A **Did you take your keys?**
你有沒有拿你的鑰匙？

B **Got it.**
拿了。

I got it.
我了解了。

除了"Got it."能表示「收到、了解」之外，"Gotcha"也是「了解、收到」的意思，是屬於比較口語的說法，通常不適合用在正式場合上。

In other words,...

換句話說，……

A I like cold weather.
我喜歡冷的天氣。

B In other words, you like winter.
換句話說，你喜歡冬天。

A I like farm animals.
我喜歡農場的動物。

B In other words, you like cows and pigs. 換句話說，你喜歡牛和豬。

In other words, you don't like the restaurant. 換句話說，你不喜歡這家餐廳。

有個實用片語"as in"（也就是說）
例如：You like farm animals as in you like cows and pigs.（我喜歡農場的動物，也就是說你喜歡牛和豬）

Chapter 1 MP3 *Track 059*

It's not a big deal.

沒什麼大不了的。

A **I didn't pass my test.**
我考試沒有通過。

B **It's not a big deal. Try harder next time.** 沒什麼大不了的，下次努力點。

A **I lost my hat.** 我把我的帽子弄丟了。

B **It's not a big deal.**
沒什麼大不了的。

It's not a big deal. We can fix the problem soon.
沒什麼大不了的。我們可以盡快解決這個問題。

"No big deal."（沒什麼）也是較口語化的說法，或是可以說 "It's not that big of a deal."（沒什麼大不了的）。

Pretty cool!

好酷哦！

A My mom bought me this watch.
我媽幫我買了這隻錶。

B Pretty cool!
好酷喔！

A Look at this pen.
看這支筆。

B Pretty cool!
好酷喔！

更多可能性

「酷」全部用“cool”雖然可以通，但顯得單調。其實，「酷」有很多似義詞，例如：“insane”、“swell”、“awesome”、“chill”都能表示「酷、極棒的」。另外“tight”，一般的意思是「緊的、緊湊的」，但在口語上也可以用來形容很酷或是很潮。

I don't believe so.

我不這麼認為。

A **I think she is very honest.**
我覺得她很誠實。

B **I don't believe so.**
我不這麼認為。

A **I did my best on the test.**
這次考試我已經盡我的全力了。

B **I don't believe so.**
我不這麼認為。

Do you think she's pretty? I don't believe so. 你覺得她很漂亮？我不這麼認為。

"I don't think so" 也能表達相同的意思。
例如：A: I have a million dollars.（我有一百萬）
B: I don't think so.（我不這麼認為）

It's hard to say.

很難說。

A **Will he be late?**
他會遲到嗎？

B **It's hard to say.**
很難說。

A **Will you go?**
你會去嗎？

B **It's hard to say.**
很難說。

更多可能性

"It's hard to say" 也可以用在當對一個情況不確定的時候。

例如：A: I think Bernie Sanders will become our next president.
（我認為桑德斯會成為下屆總統）
B: Well... it's hard to say.
（這是很難說的）

Chapter 1 MP3 *Track 063*

Maybe.

也許、可能、說不定。

A Is it going to rain?
會下雨嗎？

B Maybe.
說不定。

A Are you going?
你會去嗎？

B Maybe.
說不定。

Maybe we can discuss this next time.

或許我們可以下次再討論。

更多可能性

“maybe”和“may be”很容易混淆。maybe的同義詞還有“perhaps”、“probably”（也許、可能）；“may be”意為「也許是、可能是」，較像是“might be”或“could be”。

awesome

讚

A Let's go to the beach tomorrow.
我們明天去海邊。

B Awesome!
讚！

A You look awesome in that purple shirt. 你穿那件紫色上衣看起來真讚！

B Really? Thank you!
真的嗎？謝謝。

This plan is awesome!
這個計畫真是讚！

除了“awesome”還有很多字可以替換，像是“rad”、“sick”，因此聽到別人說“That's sick!”不一定是「病態」的意思，更有可能是「太厲害了！」。

I am too fat.

我太胖了。

A Want some more cakes?
要不要再吃一些蛋糕啊？

B No, thanks. I am too fat.
不了，謝謝。我太胖了。

A Can't you run faster?
你可不可以跑快一點？

B I am too fat. I need to exercise more.
我太胖了，我需要多運動。

形容身材肥胖，除了"fat"，還可依肥胖程度的不同有不同的字可以使用：
形容豐滿有曲線的，可以用"curvy"；過胖需要開始減肥的，可以用"overweight"；超胖已經影響健康的，則可以用"obese"。

...not as good as...

不如……

A **The new washing machine is not as good as the old one.**
新的洗衣機不如舊的洗衣機。

B **I told you to fix the old one.**
我就叫你去修舊的那一臺吧。

A **Why did you throw away the new TV?** 你幹嘛把新的電視丟掉？

B **It's not as good as the old one.**
它不如老的那一臺。

This book is not as good as that one.
這本書不如那本書好。

"As...as" 是「跟……一樣的意思」，"not as good as" 自然就是「不如……」的意思。

Good afternoon.

午安。

A Good afternoon, **Joe. Where are you going?**
喬，早安！你要去哪裡啊？

B **I am going to have tea with Peter.**
我和彼特要去吃下午茶。

A Good afternoon.
午安。

B Good afternoon. **It's a beautiful afternoon.**
午安。今天下午天氣真好

"Good afternoon"（午安）大約是指中午過後到晚餐前的問候；在晚飯後還沒有要上床睡覺之前，則可以說"Good evening"（晚安），至於在睡前，則可以用"Good night"（晚安）。

listen to...

聽……（的指示）

A I won't listen to you anymore.
我不要再聽你的了。

B Stop being a baby.
別再孩子氣了。

A You should listen to your mother.
你應該聽媽媽的話。

B OK.
好。

Can everyone just listen to me for a second? 大家可不可以先聽我一下？

也可以簡單地說"Listen up!"也就是「聽好！」的意思。另外，"hear"和"listen to"的中文意思雖然都是「聽」，但在英文的意思和用法上有一點不同。"hear"是指「不經意」的聽到，即"overhear"；而"isten to"則是指「聚精會神、專注」的聽。

So so.

還好！還好！馬馬虎虎。

A Do you like this book?
你喜歡這本書嗎？

B So so.
還好！還好！

A What do you think about the movie?
你覺得這部電影如何？

B So so.
馬馬虎虎。

更多可能性

除了“so so”（還好），也可以說“It's alright”（還可以）。
若覺得用“So so”太言而無味，但又希望能誠實不誇張的表達感受，也可以用“OK”、“Not bad”、“Not too good”或“Nothing special”來替代也都可以。

Pretend...

假裝……

A **Let's pretend it's mine.**
讓我們假裝這是我的。

B **Don't be childish.**
別那麼幼稚。

A **Pretend that you like it.**
假裝你喜歡這個。

B **Why?**
為什麼？

更多可能性

"Disguise" 也是假裝、偽裝之意，指改變裝束或外表用來掩飾真面目、感情、動機或意圖；而 "pretend" 指的是佯裝成某身份或偽裝成正在做某事，其目的是出於嬉戲或欺騙他人。

情況表達篇

Chapter 2 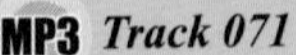

I have had enough!

我真是受夠了！

A I have had enough!

我真是受夠了！

B **Why? What did he do?**

為什麼？他做了什麼？

A **Why are you breaking up with him?**

你為什麼要和他分手？

B I have had enough **of his bad temper.**

我真是受夠了他的壞脾氣。

更多可能性

"That does it" 很多時候是表示「事情做好了」的意思，但也常用來表達「我受夠了」，意指某件事太過份，令人忍無可忍了。例如："That does it! Please get out of my office."（我受夠了！請滾出我的辦公室。）

Knock it off!

住手！不要吵！

A Knock it off! **I am trying to study.**
別吵了！我要讀書耶！

B **Sorry, I didn't know that you are studying.** 對不起，我不知道你在讀書。

A Knock it off!
住手！

B **I was just trying to pull this white hair out of your hair.**
我只是想幫你把這根白頭髮拔出來。

Knock it off! **I have a headache!**
別吵了！我的頭好痛啊！

除了"Knock it off!"的用法，還可以說"Cut it out!"或是更簡單地說"Stop it!"，都能表達相同的意思。

Chapter 2 MP3 *Track 073*

Get out of here!

別裝蒜了；別扯了；住口！

A I think I failed my exam.
我想我考試沒有及格。

B Get out of here! This is the third time you mentioned it.
住口！這已經是你第三次提到這件事了。

A Mommy, can we go to the zoo today?
媽咪，我們今天可以去動物園嗎？

B Get out of here! We are going already.
別裝蒜了！我們不是正在去了？

更多可能性

"Get out of here!" 也有「不相信」的意思。
例如：Get out of here! I won't believe you.
（住口，我不會相信你。）

You've got me there. / It beats me.

我想不出來；我不知道；你考倒我了。

A **Do you know the height of that building?** 你知道那大樓的高度嗎？

B **You've got me there.**
你考倒我了。

A **I wonder where they went.**
我不知道他們去哪裡了。

B **You've got me there.**
你考倒我了。

Good question. You've got me there.
好問題，你考倒我了。

"It beats me" 也可以表達類似意思。
例如：It beats me. Go ask someone else.
（這考倒我了，去問問看別人。）

Chapter 2 MP3 *Track 075*

That's enough.

夠了！

A That's enough. **I can't finish up this chicken noodle soup.**
夠了，我不能把這碗雞湯麵條全部吃完。

B **Yes, you can.** 你可以吃完的。

A That's enough. **I've had enough of you.** 夠了，我受夠你了。

B **Please let me explain.** 請讓我解釋。

That's enough **of you.**
你真的夠了。

"Enough is enough!"（簡直夠了！）也是常聽到的一句話，都可以用來表達你受夠了某個情況。

Be careful.

小心點。

A **It's wet. Be careful.**
這裡很滑，小心一點。

B **OK, I will.**
好的，我會。

A **It's dangerous here.**
這裡很危險。

B **Be careful then.**
小心點。

Be careful not to catch a cold.
小心不要感冒。

"Be careful" 是「小心、注意」的意思，"Take care" 是「保重」的意思，都可以用來祝別人平安。

cross the line

太過分了

A **You better say sorry to her. You have crossed the line this time.**
你最好跟她説對不起，這次你太過分了。

B **She hit me first.** 她先打我的。

A **Why is the boss so angry this morning?** 今天早上老闆怎麼那麼生氣？

B **It's because what Larry said on the meeting has crossed the line.**
因為賴瑞在會議上説的話太過分了。

The girl's rude behavior surely crossed the line. 那女孩的魯莽行為實在太過分了。

類似的常用語還有"over the top"是「過火」的意思
例如：She realized that she had gone way over the top this time.（她清楚自己這次真的做得太過火了。）

No way!/Absolutely out of the question!
不行；絕不可能！

A I will give you two hundred bucks for this watch.
我用兩百元跟你買這支錶。

B No way! My mother gave me this watch. It's priceless.
不行！這是我媽給我的，它是無價之寶。

A Dad, can I have a party in our house?
爸，我可以在我們家開一個派對嗎？

B Absolutely out of the question!
想都別想！

更多可能性

“No way!”通常表示拒絕、反對，是屬於強烈否定的語氣詞；另外，“Not in a million years.”（幾百萬年內都不可能）同樣地也是表達強烈「想都別想」的意思，可以替換使用，讓語言的使用更豐富哦！

Chapter 2 MP3 *Track 079*

Leave me alone.

別煩我。

A Cheer up and go have some fun.
開心一點，去玩一下嘛！

B Just leave me alone.
別煩我！

A Hi! Want to go to the movies with me? 你要不要跟我一起去看電影？

B Why don't you leave me alone?
你可不可以不要煩我？

Leave me alone, please. I am so tired. 可不可以不要煩我，我好累。

類似的用語還有"Leave me be"、"Let me alone"，都有「別煩我、別打擾我」的意思。

It's terrible.
糟透了。

A **How was the movie?**
電影如何啊？

B It was terrible.
糟透了。

A **The food in the new restaurant** was terrible. 新餐廳的食物很糟。

B **I told you so.**
我跟你說過啦！

It's terrible **that she told a lie.**
實在太糟糕了她居然說謊了。

也常聽到人說“...is a nightmare.”（……真是一場惡夢；糟糕；討人厭）
例如：That pregnant lady is such a nightmare!
（那位孕婦真是討人厭！）

I know what you mean.
我知道你的意思。

A **How could Becky do something like that?** 貝琪怎麼可以做出那種事啊？

B **I know what you mean. But it's really not her fault.**
我知道你的意思，可是那真的不是她的錯。

A **Do you understand me?**
你知道我的意思嗎？

B **I know what you mean.**
我知道你的意思。

I know what you mean but I cannot agree with you. 我懂你的意思但我無法贊同你。

"I know what you mean" 可表達同意某事

例如：A: She is a horrible manager.
（她是個糟糕的經理。）
B: Ugh, I know what you mean.
（沒錯，我懂你的意思。）

can't help

克制不了；沒辦法控制

A **Can you stop laughing?**
你可不可以停止笑啊？

B **I can't help myself.**
我無法控制我自己。

A **Could you stop snoring at night?**
你晚上可不可以不要打鼾啊？

B **Sorry, but I can't help it.**
對不起，但是我沒辦法控制自己。

She can't help crying.
她無法忍住不哭。

更多可能性

"Can't help+Ving" 也可以說成 "Can't help but..." 都是「忍不住……」的意思。

Let me...

讓我……

A I don't know how to get to the station. 我不知道如何去車站？

B **Let me** show you the way.
讓我告訴你路吧！

A Why did she give me the cold shoulder? 她為什麼對我那麼冷淡？

B **Let me** tell you the reason.
讓我告訴你原因吧！

Let me tell you why she is not here.
讓我告訴你為什麼她不在這裡。

"Let me..." 是「讓我」的意思，常見的用法有 "Let me see..."（讓我看看）、"Let me think..."（讓我想想）。

That's easy for you to say. 你說的倒容易。

A **Remember to keep up your hard work.** 記得保持你的努力喔！

B **That's easy for you to say.**
你說的倒容易。

A **It's only a five-hour walk from here.** 那離這裡只是五個小時的路程罷了。

B **That's easy for you to say. Then why don't you go.**
你說的倒容易，那你為什麼不去？

That's easy for you to say. You should try once. 你說的倒容易，你應該自己試一次看看。

"easy" 有「輕易、簡單」的意思，"It's easy for you to say" 也就是「說得輕鬆」的意思。

You're out of your mind! / You've got to be out of your mind!
你瘋囉！

A Let's jump down from here.
我們從這裡跳下去。

B You've got to be out of your mind!
你一定是瘋了！

A Are you out of your mind? How can you do something like that!
你瘋啦？你怎麼可以做這種事！

B Sorry, I didn't mean to.
抱歉，我不是故意的。

You're out of your mind! It's impossible. 你瘋囉！這根本不可能。

也可以說 "Are you out of your mind?"（你瘋了嗎？）都能表達對某事不可置信的態度。

I can't promise.

我不敢保證。

A **I need you to finish this tonight.**
我要你今晚把這完成。

B **I can't promise.**
我不敢保證。

A **I can't promise that I'll come tomorrow.**
我不敢保證明天會來。

B **Why not?**
為什麼？

更多可能性

"I can't promise" 是「我不敢保證」的意思，但是若想說「我敢保證」就是 "I (can) promise" 或 "I guarantee" 都是我保證的意思哦！

you dare (to) ...

你敢……

A How dare you do something like that!
你竟敢做這種事！

B It's none of your business.
不關你的事。

A Do you dare to jump off that wall?
你敢跳下那座牆嗎？

B I dare not.
我不敢。

更多可能性

也常常聽到“Don't you dare...”，字面上是「我不准你敢……」的意思，也就是中文裡說的「你不准……」。另外，“Truth or Dare”指的就是「真心話大冒險」的遊戲。

Chapter 2 MP3 *Track 088*

Who do you think you are?

你以為你是誰啊？

A **Move! I want to sit here.**
走開，我要坐在這裡。

B **Who do you think you are?**
你以為你是誰啊？

A **Hey, go get my slippers for me.**
喂！去幫我拿拖鞋來！

B **Who do you think you are?**
你以為你是誰啊？

Ch 1
Ch 2
情況表達篇
Ch 3
Ch 4
Ch 5

更多可能性

"Who do you think you are?" 通常是用來罵人的，帶有輕蔑、瞧不起的意味；而若是 "Who do you think you are kidding?" 則又是另一個意思，意指「你認為你是在開玩笑嗎？、你想要矇誰呢？」

I don't mind.

我不介意。

A **Do you mind letting me use your car on the weekend?**
你介不介意我週末用你的車？

B **No, I don't mind.**
不，我不介意。

A **Do you mind if I smoke here?**
你介不介意我在這裡抽煙？

B **No, I don't mind.**
不，我不介意。

I don't mind waiting.
我不介意等。

更多可能性

除了"Do you mind if I..."（你介意我……嗎？）還可以說"Would you mind+Ving"（可以請你……嗎？）來問別人介不介意幫你做某事。

That really burns me up!

那真的惹毛我了！

A **Why are you so mad?**
你為什麼那麼生氣？

B **He poured water on me. That really burns me up!**
他向我潑水。那真的惹毛我了！

A **That really burns me up! I am going to confront her.**
那真的惹毛我了！我要去跟她對質。

B **You should calm down first.**
你應該先冷靜。

更多可能性

類似的說法還有“...really pissed me off”（……讓我氣炸了）、“I'm fuming”（我氣得七竅生煙）或“...get on my nerves.”（……惹火我了。）

Not in your lifetime!

門都沒有！

A **May I borrow your car?**
我可以跟你借車嗎？

B **Not in your lifetime! You don't even have a license.**
門都沒有！你連駕照都沒有！

A **Could I ask you out?**
我可以邀你出去嗎？

B **Not in your lifetime!**
門都沒有！

更多可能性

類似的說法還有"Not a chance"（門都沒有；想都別想）或"Not in a million years"（一百萬年內都不可能）都具有類似的意義。

Let it be.

就這樣吧！

A **Should I take out the logo sticker on this page?**
我要不要把這頁的商標拿掉？

B **No, let it be. It looks pretty good.**
不，就這樣吧！它看起來不錯。

A **What should we do to stop the baby from crying?**
我們該怎麼讓小嬰兒停止哭泣呢？

B **Let it be.**
讓他去吧。

更多可能性

"Let it be." 是指讓人或事順其自然發展或維持原樣，不加干涉，有「別管那個人／那件事」的意思；而 "Let it go." （讓它去吧！），則是指「不讓某個人或某件事困擾你」。兩個片語很類似，但意思卻有些微的差異。

It's a pity.

真可惜。

A **Jimmy is sick. He won't be able to come.** 吉米生病了，他不能來了。

B **It's a pity.** 真可惜。

A **It's a pity that Jill and Leslie are filing for a divorce.**
吉兒和賴斯力要申請離婚真可惜。

B **Yes, they were so much in love.**
對啊，他們以前很恩愛。

It's a pity that you are going to leave.
真可惜你要走了。

更多可能性

還可以說"It's a shame"（真是可惜），或說"It's such a pity/shame"（真是太可惜了）。

Chapter 2 MP3 *Track 094*

How could you think that?

你怎麼會這麼想？

A **You don’t love me anymore.**
你不再愛我了。

B **How could you think that?**
你怎麼會這麼想。

A **Are you in love with another man?**
妳是不是愛上別的男人了？

B **How could you think that?**
你怎麼會這麼想？

更多可能性

說這句話時常省略後方的說詞，而會說成“How could you?”（你怎麼能這樣？）

例如：Karl: I’m in love with someone else.
（我愛上別人了。）
Susan: Karl, how could you?
（卡爾，你怎麼能這樣？）

 MP3 *Track 095*

It means ...

這表示……

A **What does this sign mean?**
這標示是什麼意思？

B **It means no dogs are allowed in the park.** 它的意思是說狗不可以帶進公園。

A **What does the word "delusion" mean?** "delusion"這個字是什意思？

B **It means false belief.**
意思是妄想。

It means she likes you.
這表示她喜歡你。

"It means..."是「這表示……；這代表」的意思，還常聽到"It means a lot to me"（這對我來說，代表很多）也就是「對我來說意義重大」的意思。

Take it easy!

放輕鬆點！

A **My palms are sweating.**
我的手掌都流汗了。

B Take it easy! **You are going to be all right.** 放輕鬆點，你沒問題的。

A **I don't know if I will be able to win the race.** 我不知道我可不可以贏得比賽。

B Take it easy! **You can do it.**
放輕鬆點，你可以的。

Take it easy! **It's not hard at all.**
放輕鬆點，這一點也不難。

常見的說法還有"Chill out"、"Relax"，都是「放輕鬆」的意思。

Chapter 2 MP3 *Track 097*

I am exhausted.

我累翻了。

A **I need some rest.** I am exhausted.
我需要休息一下，我累翻了。

B **We have only been walking for thirty minutes.** 我們只走了三十分鐘。

A **Count me out.** I am exhausted.
不要算我的份，我累翻了。

B **But we are short of one player.**
可是我們少一個隊員。

I am exhausted **because we walked all day long.**
因為我們走了一整天，我真的好累。

“exhausted” 是「極度疲累」的意思，比 “tired” 累的程度更大。

It didn't occur to me...

我沒想到……

A It didn't occur to me **that I would see you here.**
我沒想到我會在這裡見到你。

B **Neither did I.** 我也沒想到。

A It didn't occur to me **that you would get lost.** 我沒想到你會迷路。

B **I'm sorry for being late.**
很抱歉我遲到了。

It didn't occur to me **that things would be like this.** 我沒想到事情會變成這樣。

"occur" 是「發生」的意思，意外發生時可以說 "An accident occurred..." （有意外發生……），後方接地點或時間。

Please don't be mad at me.

請不要生我的氣。

A **I am going to tell you the truth, but please don't be mad at me.**
我要跟你說實話，但請別生我的氣。

B **Only if you tell the truth.**
除非你說實話。

A **Please don't be mad at me. I really didn't mean it.**
請不要生我的氣，我真的不是故意的。

B **Fine. Don't do it again.**
好吧！別再這麼做了。

更多可能性

要求別人原諒時，可以用 "Please don't be mad at me."（請不要生我的氣）。但若是想要說實話，卻又怕對方生氣時則可以說 "Don't be mad, but..."（不要生氣，但……）

You're so difficult!

你很龜毛耶！

A **I don't know which one to buy.**
我不知道要買哪一個？

B **Samuel, you are so difficult!**
山謬，你真龜毛。

A **Sharon is such a difficult person.**
莎朗真是很龜毛。

B **Everybody knows that.**
每一個人都知道。

"difficult" 這個字也可以拿來形容人很難相處或很難一起共事。
例如：She is so difficult to work with.
（她很難相處。）

Chapter 2 MP3 *Track 101*

It's a miracle!

真是太神奇了！

A It's a miracle! **How did you do that?**

真是太神奇了！你怎麼辦到的？

B **It's magic.**

這是魔術。

A It's a miracle! **The stain on my shirt is gone.**

真是太神奇了！我襯衫上的髒點不見了。

B **What washing detergent did you use?**

你用了什麼洗衣精？

在英文裡，“Amazing”也有「驚人的、令人驚奇」的意思，但“miracle”則更甚，指的是奇蹟、神蹟的意思，常被拿來形容幸運、美好又無法合理解釋的轉機。

I am outspoken.

我講話直了些。

A Why was Ms. Lee so mad in class this morning?
李老師今天早上上課為什麼那麼生氣啊？

B I was outspoken, and it made her so angry.
我因為講話直了些，而使得她勃然大怒。

A You shouldn't have said that.
你不應該那樣說的。

B Sorry, I was outspoken.
對不起，我說話直了些。

"outspoken" 形容詞，通常用來形容一個人說話坦率、直言不諱。
例如："He is an outspoken politician."
（他是很直率的政治人物。）

It suddenly strikes me...

我突然想到……

A **Wait! It suddenly strikes me that we can go to Kenting this weekend.**
等等！我突然想到我們這週末可以去墾丁。

B **Yeah. Good idea.** 對啊！好主意。

A **How did you come up with your new idea?** 你是怎麼想到你的新點子的？

B **It just suddenly struck me.**
我突然想到的。

It suddenly strikes me that today is your birthday. 我突然想到今天是你的生日。

類似的說法還有"It suddenly hit me that..."（我突然想到……）、"It occurred to me that..."（我突然想到……）。

What's the rush?

你趕著去哪裡？

A **Hey! What's the rush?**
喂！你趕著去哪裡？

B **I left my books at home.**
我把我的書放在家裡了。

A **Larry, what is the rush?**
賴瑞，你趕著去哪裡？

B **The train is going to leave in ten minutes.**
火車再十分鐘就要開了。

Ch 1
Ch 2
情況表達篇
Ch 3
Ch 4
Ch 5

"What's the rush?" 也有「急什麼？」的意思。
例如：A: Go clean up the your room, Larry!
（去整理房間，賴瑞！）
B: Alright mom, what's the rush?
（好啦，媽，你急什麼呢？）

Ouch!

哎唷！

A Ouch! **That really hurts.**
哎唷！很痛耶！

B **Sorry about that.**
對不起。

A Ouch! **You stepped on me!**
哎唷！你踩到我了啦！

B **You were in my way.**
你剛剛擋到我了啊！

Ouch! **I hit the tree.**
哎唷，我撞到樹了。

Ouch!（哎唷）一般是用在「突然疼痛時發出的聲音」。例如：被踩到、撞到，或突然被人用力打的時候。

Oops!

噢！

A Where is my new hat?
我的新帽子呢？

B Oops! I think I lost it.
噢！好像遺失了。

A Oops! I didn't mean to do that.
噢！我不是故意的！

B It's OK. Be careful next time.
沒關係！下次小心一點。

Oops! I made a mistake.
噢！我犯了個錯。

更多可能性

"Oops"（噢！）大都用在表示「驚訝、狼狽」或是「抱歉謝罪」等等的叫聲。

"Oops-a-daisy"（噢唷！），常是小孩跌跤時的用語。

Aw!

噢！

A Quiz tomorrow.
明天小考。

B Aw! Not again.
噢！又來了。

A Aw! That tastes terrible.
噢！那好難吃喔！

B I told you.
我跟你說啦！

Aw! The dinner was not tasty at all.
噢！晚餐一點也不美味。

“Aw” 一般用作表示「抗議、同情、厭惡、憐憫……」等等的感嘆詞。

It's unbelievable.

真是難以相信！

A **Jason and Helen got married.**
傑森跟海倫結婚了。

B **Wow! It's unbelievable.**
哇！真難相信。

A **It's unbelievable that we can meet abroad.** 真是難以相信我們可以在國外遇到。

B **Isn't it?** 可不是嗎？

That show was unbelievable.
那表演真是難以置信。

跟"unbelievable"類似的字很多例如："incredible"（難以置信的）、"inconceivable"（不可思議的）、"impossible"（不可能的）。

I am speechless.

我無話可說。

A **Hi, I got you some flowers.**
嗨！我帶了一些花給你。

B **I am speechless.**
我不知道該說什麼。

A **I caught you with another woman.**
我抓到你和別的女人在一起。

B **I am speechless.**
我無話可說。

I am speechless at the moment.
我目前無話可說。

“I am speechless.”有指因驚訝或錯愕而一時語塞說不出話來的意思。也可以簡單地說“I have no words”（我無話可說；我不知道該說什麼）。

Give me a break!

饒了我吧！

A **Can you help me with my homework?**
你可不可以教我做功課？

B **Give me a break! I have a lot of work to do myself.**
饒了我吧，我還有很多自己的事要做呢！

A **It's only a twenty-minute walk.**
那只是一段 20 分鐘的路程。

B **Give me a break! My legs are killing me.**
饒了我吧！我的腿好痛。

更多可能性

"Give me a break!" 有「饒了我吧！」及「請相信我！」這兩個意思，在美國常用來表示「別再煩我了！」或回應挑剔、不友善的人。類似的一句話 "Spare me" 是「饒了我吧；放過我吧」的意思。

Chapter 2 MP3 *Track 111*

Relax

放輕鬆

A Hey! I think you need to relax.
喂！我覺得你需要放輕鬆。

B No, I still get a lot of work to do.
不，我還有許多事要做。

A Relax. There is no need to worry.
放輕鬆！不用擔心。

B Are you sure?
你確定嗎？

Try to relax when you are stressed.
當你壓力大的時候嘗試著放輕鬆。

除了叫別人"relax"，還可以說"Chill out"、"Take it easy"，都是「放輕鬆」的意思。

I've changed my mind.

我改變心意了。

A I thought you were coming.
我以為妳會來。

B I've changed my mind.
我改變心意了。

A Didn't you want this watch?
妳不是要這隻錶嗎？

B I've changed my mind.
我改變心意了。

I've changed my mind, so I won't go with you. 我改變心意了，所以我不會跟你去。

另一句常聽到，跟心意有關的話是"I have made up my mind."（我已下定決心）。

I love it.

我愛死了。

A How do you like this watch?
你覺得這隻錶如何？

B I love it.
我愛死了。

A Do you like the movie?
你喜歡這部電影嗎？

B Yes, I love it.
我愛死了。

I love it. I believe you will like it as well. 我愛死了，我相信你也會喜歡。

除了“I love it”還可以說“I adore it”（我很喜歡）。“adore”是崇拜、敬重及愛慕的意思，與“love”的愛範圍相較，更偉大博愛。

I feel that...

我覺得……

A I feel that **you don't care about me anymore.**
我覺得你不再關心我了。

B **But I do.**
可是我在乎。

A I feel that **today is colder than yesterday.**
我覺得今天比昨天冷。

B **Then you should wear a coat.**
所以你應該穿件外套。

"I feel like…" 也能表達相同意思。
例如：I feel like you don't know me at all.
（我覺得你好像一點都不了解我。）

How could you stand...?

你怎麼受得了……？

A **It's very hot in Taiwan.**
台灣的天氣很熱。

B **How could you stand staying here all summer?**
你怎麼受得了待在這裡一整個夏天？

A **My brother is very noisy.**
我弟弟很吵。

B **How could you stand him then?**
你怎麼受得了他？

更多可能性

受不了某人或某事，可以直接說“I can't stand...”。
例如：“I can't stand her!”（我受不了她！）
另外，也可以直接抱怨：“I've had enough.”（我受夠了。）

What's wrong?

怎麼了？

A What's wrong?
怎麼了？

B **I don't feel well.**
我不舒服。

A **I don't want to talk.**
我不想說話。

B What's wrong?
怎麼了？

更多可能性

還可以說 "What's the matter?"（怎麼回事？）、"What happened?"（發生什麼事了？）、"What's the problem?"（發生什麼問題了嗎？）以及 "Is anything wrong?"（有什麼問題嗎？）

Chapter 2 MP3 *Track 117*

It's disgusting!

討厭死了；噁心！

A What do you think about the movie?
你覺得這部電影怎麼樣？

B It's disgusting!
很噁心！

A Do you like snakes?
你喜歡蛇嗎？

B It's disgusting!
噁心死了！

It's disgusting! There is a dead rat.
噁心死了！有隻死老鼠。

同義的字還有"gross"、"nasty"、"revolting"，都是「噁心的」的意思。

I feel like it.

我高興（怎麼做就怎麼做）。

A Why are you fooling around all day long? 為什麼你玩了一整天？

B I feel like it. 我高興。

A Why do you do that first?
為什麼你先做這件事？

B I feel like it. 我高興。

Leave me alone. I'll do whatever I feel like doing.
不要管我，我高興怎麼做就怎麼做。

"I feel like+Ving" 是「我想……」的意思。
例如："I feel like going to the park."（我想去公園。）

 MP3 *Track 119*

It really hurts.

好痛。

A Are you OK?
你還好嗎？

B It really hurts.
好痛。

A How are you feeling?
你還好嗎？

B It really hurts.
好痛。

更多可能性

要表達很痛的感覺，還有其他說法：可以說 “It hurts so bad.”（好痛），或者要形容痛到極致，則可以說 “It hurts like hell.”（像歷經地獄一樣痛，也就是非常痛的意思）。

I'm sorry to hear that ...

聽到……我很遺憾

A I'm sorry to hear that **you were sick.**
聽到你感冒我很遺憾。

B **That's OK. I'm feeling better now.**
沒關係，我現在好多了。

A I'm sorry to hear that **your dog has passed away.**
聽到你的狗去世我很遺憾。

B **Thanks.**
謝謝。

還可以說 "It's a pity that..." （很遺憾……）
例如：A: It's a pity that you didn't come.
（很遺憾你沒有來。）
B: Yes. I heard it was fun.
（對啊！我聽說那很有趣。）

I don't feel well.

我不舒服。

A You look weak.
你看起來很虛弱。

B I don't feel well.
我不舒服。

A What's the matter?
怎麼了？

B I don't feel well.
我不舒服。

更多可能性

"I'm not feeling well."（我現在不太舒服。）也是很常見的口語說法；同時，你還可以說"I am feeling under the weather."（我感到不舒服。），都是能表達身體不舒服的常用語。

I can't imagine.

我不能想像；無法想像。

A **The apple was bigger than my hand.**
那顆蘋果比我的手大。

B **I can't imagine.**
我不能想像。

A **The horse runs faster than the car.**
那匹馬跑得比車快。

B **I can't imagine.**
我不能想像。

I can't imagine that she is pregnant.
我無法想像她懷孕了。

相反地，也可以說“I can imagine”（我能想像）來表達「同意」的意思。

You are so mean.
你好兇。

A Get out of here.
滾出去。

B You are so mean.
你好兇。

A I don't want you here.
我不要你在這裡。

B You are so mean.
你好兇。

"You are so fierce."也是「你好兇」的另一種口語表達。或者，也可以換另一種說法："Watch your attitude."（注意你的態度），或"What's wrong with you?"（你哪裡不對勁？）。

Good morning.

早安。

A Good morning, **everyone.**
大家早安！

B **You sure look energetic this morning.**
你今天早上看起來真是有朝氣耶！

A Good morning, **Peggy.**
珮姬，早安。

B Good morning, **Tom.**
湯姆，早安。

Good morning, **darling.**
早安，親愛的！

"Good morning" 是可以用在早上太陽出來後、到中午十二點這一段時間的招呼語，是比較正式的用法。如果是比較熟悉的朋友，也可以只說 "Morning" 。

So boring.

真無聊。

A This is going to be so boring.
這真無聊。

B But we have to go.
但是我們要去。

A The movie was so boring.
那電影真的很無聊。

B I thought so, too.
我也這麼認為。

She is so boring.
她真無趣。

更多可能性

"What a bore!"（這真無聊！）、"You bore me."（你真無趣），或是你也可以說"It leaves me cold."（這一點都無法打動我。），都可以用來表示「很無聊」。

I wouldn't know!

你問我，我問誰？

A What's the date today?
今天幾號？

B I wouldn't know!
你問我，我問誰？

A What's her name?
她叫什麼名字？

B I wouldn't know!
你問我，我問誰？

或說“How will I know?”（我怎麼會知道？）。“Who knows.”（誰知道？）則用途非常廣泛，包含了一些感情的表達，表示說話的人可能毫不在乎、可能真的不知道，也可能假裝不知道，視乎當時說話的語氣而定。

Chapter 2 MP3 *Track 127*

God damn it!

該死！

A God damn it! **I lost my watch.**
該死！我弄丟我的手錶了。

B **That's no big deal.**
這沒什麼大不了的。

A God damn it! 該死！

B **What's wrong?** 怎麼了？

God damn it! **Someone stole my bike!** 該死！有人偷走了我的腳踏車。

更多可能性

最常聽到的是"damn"（該死）或"damn it"同樣是「該死」的意思。
"Darn it!"（可惡！）"Dang it!"（好討厭哦！）則是比較婉轉的說法。

I've been through it.

我領教過了。

A **She is so unreasonable.**
她很不講理。

B **I've been through it.**
我領教過了。

A **She has a bad temper.**
她脾氣很壞。

B **I've been through it.**
我領教過了。

I've been through it too many times.
我領教過太多次了。

與"I've been through it."類似的說法："been there, done that."是「我經歷過也做過那件事」的意思，也就是「我領教過了」。

Chapter 2 MP3 *Track 129*

Do you like it?

你喜歡嗎？

A Do you like it?
你喜歡嗎？

B **Yes, I do.**
喜歡！

A Do you like it?
你喜歡嗎？

B **No, I don't.**
我不喜歡。

This is my gift for you. Do you like it?
我送你的禮物，你喜歡嗎？

若不想說那麼長一句，也可以簡單地說“How do you like it?”（你覺得怎麼樣？）就可以囉！

I'm just thinking about it.
只是想想罷了。

A **Are you going to change your mind?**
你要改變主意了嗎？

B **I'm just thinking about it.**
只是想想罷了。

A **Do you really want to do that?**
你真的想做那件事嗎？

B **I'm just thinking about it.**
只是想想罷了。

I'm just thinking about it, but I haven't made a decision.
只是想想罷了，但是我還沒決定。

"Let me think about it."（讓我想想）也是老外很常用的一句話。
例：I don't know, let me think about it.
（我不知道，讓我想一想。）

Shut up.

別吵了。

A Shut up. This is a library.
別吵了，這裡是圖書館。

B Oh, I am so sorry.
噢，我很抱歉。

A Those boys are noisy.
那些男孩真吵。

B I want to ask them to shut up.
我想叫他們閉嘴。

Shut up and listen.
閉嘴注意聽。

較婉轉地說 “Please be quiet”（請安靜）“Keep it down, please”（請小聲點）

Don't bother me.

別打擾我（當自己很忙時）。

A What's wrong?
怎麼了？

B Don't bother me.
別打擾我。

A You look very busy.
你看起來很忙。

B Yes, don't bother me.
對啊！別打擾我。

Don't bother me at the moment, please. 現在請不要打擾我。

"Don't bug me" 也是「別煩我」的意思，當有人像蒼蠅一樣的在你周圍繞個不停、讓你覺得很煩時，就能用這一句。

It's really interesting.

太有趣了。

A How was your trip to New York?
你的紐約之行怎麼樣？

B It was really interesting.
太有趣了。

A This book is really interesting. I have already read it twice.
這本書太有趣了，我已經看過兩遍了。

B What is the title of the book?
書名是什麼？

更多可能性

Interesting（有趣的）可指人、事或物，是較正式的形容詞。Funny也可解釋成「有趣的，好笑的」，但通常帶有滑稽可笑的意思，不適合用來形容不熟的人或是長輩，用這個單字時，要特別注意對象哦！

It stinks.

好臭！

A **How can you eat your lunch here? It stinks here.**
你怎麼能在這裡吃你的午餐啊？這裡好臭喔！

B **I am used to it.**
我習慣啦！

A **Who farted? It stinks.**
誰放屁了！好臭喔！

B **Not me.** 不是我。

It stinks here. I want to leave.
這裡好臭，我想走了

還可以說“It smells”（好臭）、“It smells bad”（很難聞）、“That smells disgusting”（聞起來很噁心）

You asked for it.

你自找的。

A It's so humiliating when the bus driver found I was trying to jump the bus.
當司機發現我企圖逃票時，真是糗。

B You asked for it!
這可是你自找的喔！

A She yelled at me when she found I was telling about her secret.
當她發現我在說她的祕密時，她對我大聲怒罵。

B You asked for it!
是你自找的！

"You asked for it." 是「明知故犯」，有「自討苦吃」的意思；類似的說法還有 "Asking for trouble."（自找麻煩）。特別注意："You deserve it."，若用在正面的說法是指「你應得的」，若是不好的、負面的，則有「你活該」之意。

I lost my wallet / purse.

我的皮夾／錢包掉了。

A **Oh no! I lost my wallet.**
糟了，我的皮夾丟掉了。

B **Don't worry. I will find your wallet for you.**
別擔心，我會替你把皮夾找出來。

A **I lost my purse and I don't have money for lunch.**
我的錢包掉了，我沒錢吃午餐了。

B **Don't worry. I can pay for you.**
別擔心，我可以幫你付錢。

"I lost my..." 是「我的……不見了、我掉了……」的意思，當有東西遺失、不見的時候，都可以用單字套用。若是迷路的時候，則可以說 "I lost my way." 表示「我找不到路」。

MP3 *Track 137*

You can be at ease.

你放一百二十個心！

A **Leave everything to me.** You can be at ease.
把一切都交給我吧！你放一百二十個心！

B **Are you sure?**
你確定嗎？

A You can be at ease. **Peter is here to help you.**
你放一百二十個心！彼特會幫你的。

B **Thank God.**
感謝天。

更多可能性

我們常聽到的“Attention”用在軍事口令上是指「立正」的意思；而“At ease”是「安心、自在」之意，用在軍事口令上則是「稍息」，“be at ease”也就是「放輕鬆；不必緊張」的意思。

As long as you're happy.

你開心就好！

A **Will you let me go?** 你會讓我走嗎？

B **As long as you're happy.**
你開心就好！

A **Will you let me do that?**
你會讓我做這件事嗎？

B **As long as you're happy.**
你開心就好！

Doesn't matter. As long as you're happy. 無論如何，你開心就好！

也可以換另一種說法："Do whatever you like."（隨便你做什麼，高興就好）。

There was an earthquake just now.
剛才有地震。

A There was an earthquake just now. 剛才有地震。

B **I didn't feel it.**
我沒有感覺到。

A There was an earthquake just now. 剛才有地震。

B **Hope nobody was hurt.**
希望沒有任何人受傷。

There was an earthquake just now. **Scary!** 好可怕！剛才有地震。

學到了"Earthquake"（地震），當然不能不認識"Earthquake intensity"（地震強度）。

There's a typhoon.

颱風來了。

A There's a typhoon **today.**
今天颱風來了。

B **Hope we don't have to go to school.**
希望我們不用去學校。

A There's a typhoon.
颱風來了。

B **Hope nobody will get hurt.**
希望不會有人受傷。

I heard there is a typhoon **coming.**
聽說有颱風要來了。

"Issue a sea waring.／Issue land waring for the typhoon."（發佈海上／陸上颱風警報）；"The eye of the storm." 則指的是「颱風眼」。

I'll start as soon as possible.

我馬上開始。

A **When will you start singing?**
你什麼時候開始唱歌？

B **I'll start as soon as possible.**
我馬上開始。

A **When will you start cooking?**
你什麼時候開始做飯？

B **I'll start as soon as possible.**
我馬上開始。

Don't rush me. I'll start as soon as possible. 不要催我，我馬上開始。

"I'll get right down to it." 也是「我馬上做、馬上著手進行」的意思。

Poor thing.

真可憐。

A **She can't come here.**
她不能來這裡。

B **Poor thing.**
真可憐。

A **He is in the hospital.**
他在住院。

B **Poor thing.**
真可憐。

Peter got fired. Poor thing.
彼特被解僱了，真可憐。

若是指特定的對象，可說“poor her”（她真可憐）、“poor you”（你真可憐）、“poor mom”（媽媽真可憐）……直接在poor後面加上人物、對象即可。

It's not likely.

可能不是這樣。

A **She is a strange person.**
她是一個很奇怪的人。

B **It's not likely.**
可能不是這樣。

A **Is he mad?** 他瘋了嗎？

B **It's not likely.**
可能不是這樣。

Even If everyone says so. I think it's not likely.
雖然大家都這麼說，但我覺得可能不是這樣。

除了用 "It's not likely."（可能不是這樣）之外，也可以直接說 "It's unlikely."（這不太可能）。

You ain't seen nothing yet!

你還沒看過更好（爛）的！

A **Wow! Did you see Karen's new ring? It is so big!**
哇！你有沒有看到凱倫的新戒指？好大喔！

B **You ain't seen nothing yet! It's not her biggest ring.**
你還沒看過更好的呢！那不是她最大的戒指。

A **My car is like a big piece of junk.**
我的車像是一塊大廢鐵！

B **You ain't seen nothing yet! Mine is already in the junk yard.**
你還沒看過更爛的呢！我的車已經在廢車廠了！

"You ain't seen nothing yet!" 是所謂的雙重否定。以英文文法來說，"ain't...nothing" 雖然不合乎文法，但卻是在日常生活中很常聽到或被使用的常用語。

have butterflies in one's stomach
緊張

A **There's an interview today. I am having butterflies in my stomach.**
今天要面試，我好緊張喔！

B **Don't worry. You'll be great!**
不要擔心，妳會表現得很好的！

A **I don't think I can make it to the finals. I am having butterflies in my stomach.**
我想我沒辦法撐到決賽了，我好緊張喔！

B **Take it easy! I believe you can do it!**
放輕鬆一點，我相信你可以做到的！

因為某件事情感到興奮又緊張的時候，就可以說“have butterfly in one's stomach”字面上翻譯是「好像有蝴蝶在肚子裡飛」也就是很緊張、焦慮不安的意思。

head over heels

深陷；完全地

A **Amy seems to be in a good mood recently.** 艾咪最近似乎心情很好。

B **It's because she's head over heels in love with Jimmy.**
那是因為她與吉米在熱戀中。

A **I can't stop thinking about Amanda.**
我無法停止想亞曼達。

B **You have fallen head over heels for that girl.** 你為那女孩深陷情網了。

Ted is troubled recently, for he is head over heels in debt.
泰德最近很煩惱，因為他深陷債務中。

"head over heels" 字面上的意思是「腳變得比頭高，有點像倒立的狀態」也就是「神魂顛倒；著迷、無法自拔」的意思。

Chapter 3

吃喝玩樂篇

Chapter 3 MP3 *Track 147*

Check, please.

買單。

A Check, please.
買單。

B Yes, sir.
好的，先生。

A Check, please.
買單。

B Here you go.
拿去吧！

更多可能性

亦可說“May I have the bill, please?（能給我帳單嗎？）另外“Check, please.”（買單）的說法只限用於餐館裡。若是去購物，如買衣服、傢俱或是看醫生時，都不能用“Check, please.”，而要說“Please give me the bill.”（請給我帳單）或是“How much do I owe you?”（我該付多少錢？）。

I'm off to...

我要去……

A **Where are you going?**
你要去哪裡？

B **I am off to the bank.**
我要去銀行。

A **I am off to the market. Do you need anything?**
我要去市場，你需要什麼嗎？

B **No, thank you.**
不了，謝謝。

I'm off to the department store.
我要去百貨公司。

"off" 也可以表達「休息」，例如： "I'm off today."（我今天不上班）

Chapter 3 MP3 *Track 149*

Good idea.

好點子。

A **Let's go out for dinner.**
我們出去吃晚餐。

B **Good idea.**
好主意。

A **That was a good idea.**
那真是一個好點子耶！

B **I am glad you liked it.**
我很高興你喜歡。

I have a good idea.
我有一個好主意。

更多可能性

同樣能夠表達贊同別人意見或想法的，你也可以說"I like the sound of that"（我喜歡我聽到的）也就是「我喜歡你的想法」的意思。

What would you like to eat?

你要吃什麼？

A What would you like to eat?
你要吃什麼？

B **I want some noodles.**
我想要吃麵。

A What would you like to eat?
你要吃什麼？

B **Hamburger, please.**
漢堡，謝謝。

也可以簡短地說 "What would you like?"（你要吃什麼？）。若要特別表明午餐或晚餐，就說 "What would you like to eat for lunch (dinner)?"；若是要問別人喜歡吃什麼，則可以說 "What kind of food do you like?"（你喜歡吃什麼食物？）

Chapter 3 MP3 Track 151

It's your turn.

輪到你了。

A It's your turn. **Good luck.**
輪到你了，祝你好運。

B **Thanks.**
謝謝。

A **Whose turn is it?**
換誰了？

B It's your turn.
換你了。

It's your turn. **Please come to the stage.** 換你了，請你上台來。

更多可能性

也可以說 "Your turn." （換你囉）； "My turn." （換我囉）。「輪流」就是 "take turns" 。

Don't push me.

別逼我；別推我。

A **Watch it! Don't push me.**
注意！你別推我。

B **Sorry.**
對不起。

A **Would you stop pushing me?**
你可不可以不要逼我了。

B **Then give me my money back.**
那你還錢來。

更多可能性

如果有人指揮你一下做這個，一下做那個，把你推來推去時，你也可以用這一句 "Don't push me around."。"push" 可以講在實際上、身體上的「推」，亦可以用在心理上，有「逼迫」之意。

Chapter 3 MP3 *Track 153*

Do you have any change?

你有零錢嗎？

A Do you have any change? **I am going to take a bus.**
你有零錢嗎？我需要搭公車。

B **Sorry, I don't.**
對不起，我沒有。

A Do you have any change? **I want to get a coke.**
你有零錢嗎？我要買可樂。

B **Get me one, too.**
幫我也買一個吧。

更多可能性

若路上遇到人跟你要錢，他們會說："Have you got any spare change?"（你有錢可以給我嗎？）另外，接受服務要給小費時，則可以說"Keep the change."（不用找了！）

Chapter 3 MP3 *Track 154*

Where is the bathroom?

廁所在哪裡？

A **Excuse me, where is the bathroom?**
請問，廁所在哪裡？

B **Take a left at the first corner.**
在第一個街角左轉。

A **I have a stomachache. Where is the bathroom?**
我肚子痛，廁所在哪裡？

B **It's on your right.**
就在你右邊。

問「廁所在哪裡？」英國人說："Where's the loo/toilet?" 美國人較常說："Where's the bathroom/restroom?"。
想要借廁所，則要說："May I use your bathroom/restroom/toilet?"。

Chapter 3 MP3 *Track 155*

Let's go shopping.

一起去逛街吧！

A There is a new shopping center down the street. Let's go shopping.
街上開了一家新的百貨公司，我們去逛街吧！

B Oh yeah! 耶！

A Let's go shopping! 一起去逛街吧！

B Sorry, I can't. I've still got a lot of work to do. 對不起，我不行。我還有很多事要做。

Do you have time tomorrow? Let's go shopping **together.**
明天有空嗎？我們一起去逛街吧！

更多可能性

也可以說"Can I shop with you?"（我可以跟你去逛街嗎？）
Go shopping（逛街）又可分為"Window shopping"（只看不買）與"Purchase/Buy"（採購）。

It's very dangerous...

……真危險

A It's very dangerous **to go into that forest at night.**
晚上進去那森林真危險。

B **Why? Is it haunted?**
為什麼？有鬼嗎？

A **Don't put the knife there.** It's very dangerous. 別把刀放那裡，很危險。

B **Sorry.**
對不起。

It's very dangerous **to walk alone at night.** 一個人走夜路很危險。

或者也可以說"That's not safe."（那不安全）、"That's risky."（那很危險）。

Chapter 3 MP3 *Track 157*

I could hardly catch my breath.
我快忙不過來了。

A How is everything going?
你忙的如何了？

B I've got tons of work to do. I could hardly catch my breath.
我還有好多事要做，我快忙不過來了。

A There are so many people in the shop. I could hardly catch my breath.
店裡有好多人，我快忙不過來了。

B Need some help?
你需要幫忙嗎？

"I can't catch my breath." 也有實際上「喘不過氣」的意思。
另外，要形容工作非常忙碌、一刻不得閒，就說 "I'm up to my neck in work." （我工作忙得不可開交。）

You've been there?

你去過？

A Disneyland is fun.
迪士尼樂園很好玩。

B You've been there?
你去過？

A Taiwan is fun.
台灣很好玩。

B You've been there?
你去過？

Have you been to Egypt?
你去過埃及嗎？

也可以用另外一種問法："Have you ever been there?"（你去過嗎？）

Chapter 3 MP3 *Track 159*

I am heading to bed.

我要去睡了。

A I am heading to bed. 我要去睡覺了。

B **OK. Good night.** 好的！晚安。

A I am heading to bed. **Let's finish this tomorrow.**
我要去睡覺了，我們明天再完成它吧！

B **You go ahead. I'll keep working on it.** 你去吧！我要繼續做。

I am sleepy so I am heading to bed.
我睏了所以我要去睡覺。

還可以說"I am off to bed."（我要去睡覺了）、"It's bedtime for me."（我的睡覺時間到了）

I'm full / hungry.

我飽／餓了。

A **Please eat more.**
請再多吃一點。

B **I'm full already.**
我已經飽了。

A **I'm hungry.**
我餓了。

B **What did you eat for dinner?**
你晚餐吃了什麼？

I'm hungry but still in class now.
我現在很餓，但現在還在上課。

如果只有「一點點餓」可以說 "I'm peckish." （我有一點餓。）；若是「非常餓」，則可以用 "I am starving." （我要餓死了）來形容。"I'm stuffed." 則是「我好飽」。

Chapter 3 MP3 *Track 161*

I don't feel like eating.

我吃不下；我沒食慾。

A Why didn't you eat dinner?
你為什麼不吃晚餐？

B I didn't feel like eating.
我沒有食慾？

A What's the matter?
怎麼了？

B I don't feel like eating.
我沒有食慾。

I'm depressed. I don't feel like eating.
我心情不靜，我吃不下去。

"I don't feel like..."（我不想要……）後方動詞必須加"ing"。
例如："I don't feel like going out."（我不想出去。）

I'm so thirsty.

我好口渴。

A I'm so thirsty.
我好口渴。

B **So am I.**
我也是。

A **Want something to eat?**
要吃什麼嗎？

B **No,** I'm so thirsty.
不要，我好口渴。

I'm so thirsty **now.**
我現在好口渴。

要求別人給你東西喝，可以說 "Could you get me something to drink?"（可以給我喝的嗎？）"I'm parched."（我渴死了）則是形容「極口渴」時的誇飾用法。

I want the same.

我要一樣的。

A One large coke, please.
一個大杯可樂。

B I want the same.
我要一樣的。

A Beef noodles, please.
牛肉麵，謝謝。

B I want the same.
我要一樣的。

What are you going to eat? I want the same.
你要吃什麼？我要一樣的。

也可以換句話說“Give me the same thing, please.”也是「請給我一樣的」意思哦！

May I take you there?

我送你一程好嗎？

A I want to go to school.
我要去學校。

B May I take you there?
我送你一程好嗎？

A I want to go to the market.
我要去市場。

B May I take you there?
我送你一程好嗎？

更多可能性

也可以說“Do you need a ride?”（要載你一程嗎？、你要搭便車嗎？）。若想請人載，則可以說“Could you give me a ride?”或“Could you give me a lift?”，都是「可以載我一程嗎？」的意思。

Chapter 3 MP3 *Track 165*

I am on a diet.

我在節食。

A Why don't you eat some more?
你為什麼不再吃一點？

B Because I am on a diet.
因為我在節食。

A Want to try the cookies that I just baked? 你要不要試吃我剛剛烤的餅乾？

B No, thank you. I am on a diet.
不了，謝謝。我在節食。

I am on a diet, so I cannot have the cake. 我在節食所以不能吃蛋糕。

也可以說"I'm dieting."（我正在節食）或是"I'm trying to loss weight."（我正在減肥）。但若是節食、減肥破功的時候，可以說"I broke my diet."是「我破戒了」的意思。

Why is there a traffic jam again?
怎麼又塞車了？

A Why is there a traffic jam again?
怎麼又塞車了？

B **There's a car accident.**
那裡有車禍。

A Why is there a traffic jam again?
怎麼又塞車了？

B **There are too many cars on the road.**
因為那裡有太多車在路上。

「塞車」最常見的說法是“traffic jam”（交通阻塞）；另外一個常見的說法是“traffic congestion”（交通擁塞）；或者，也可以用“clog”這個動詞來表達「塞車」。

Chapter 3 MP3 *Track 167*

My car broke down.

我的車子拋錨了。

A Why are you so late?
你為什麼遲到那麼久？

B My car broke down.
我的車子拋錨了。

A What happened?
怎麼了？

B My car broke down.
我的車子拋錨了。

更多可能性

“Break down” 除了說車拋錨，還可以拿來形容人的情緒，例如：“I am breaking down”（我快崩潰了）。
另外，若是車子爆胎，則不能用“Break down”，應該說“My tire popped.”（我的車子爆胎了）。

I ran out of gas.

我的車子沒油了。

A **Why are we at the gas station?**
為什麼我們在加油站？

B **I ran out of gas.**
我的車子沒油了。

A **Why are you late?**
你為什麼遲到？

B **I ran out of gas.**
我的車子沒油了。

I ran out of gas on the way.
我的車子在路上沒油了。

更多可能性

“run out” 是「……快沒有了」的意思，例如，用在手機可以說 “run out of battery” ，也就是手機「沒電」的意思。

Chapter 3 MP3 *Track 169*

The sun is scorching today. 今天太陽好大。

A It's summer time!
現在夏天了。

B Yes, the sun is scorching today.
對啊！今天太陽好大。

A The sun is scorching today.
今天太陽好大。

B Then stay at home.
所以待在家吧！

更多可能性

"scorch" 是「燒焦、烤焦」的意思。另外，形容「天氣很熱」，也可以用 "It is burning hot!"（天氣超級熱！）或是 "I'm going to get a heat stroke."（我熱到要中暑了。） "heat stroke" 就是「中暑」。

My car has been towed.

我的車子被拖吊了。

A Where's your car?
你的車呢？

B My car has been towed.
我的車子被拖吊了。

A Why did you come by bus?
為什麼你搭公車來？

B My car has been towed.
我的車子被拖吊了。

What should I do? My car has been towed. 怎麼辦？我的車子被拖吊了。

"tow"是「拖」的意思，"tow away"也是「拖吊」；「拖車服務」則是"towing service"，「拖吊車」是"towing crane"。

not one's cup of tea

不合興趣；不合胃口

A **Living in the country is not Jenny's cup of tea.** 鄉下的生活不適合珍妮。

B **She is more of a city girl.**
她是一個城市女孩。

A **How about going to the rock concert with me?** 你要不要跟我一起去搖滾音樂會？

B **No, thanks. Rock concerts are not my cup of tea.**
不了，謝謝！搖滾樂不合我的胃口。

更多可能性

"not my cup of tea" 字面上的意義是「這杯不是我的茶」，就像中文說的：「這不是我的菜」，也就是有「不合我的胃口、不是我喜歡的類型」的意思。另一個常見的用法，還有 "not my type"，同樣都有「不是我的菜」之意。

Suit yourself.

隨你高興。

A I want to eat three hamburgers for lunch.
我中餐想吃三個漢堡。

B Suit yourself.
隨便你！

A I am too tired to go to the movies with you tonight.
今天晚上我太累了，不能跟你去看電影。

B Suit yourself! I will ask John to go with me.
隨你高興囉！那我叫約翰陪我去！

"suit yourself" 直接翻譯成中文是「你舒服就好」的意思，也就是「隨你便；隨你高興」。就中文來看，口氣有點不太好，屬於不耐煩的口氣，通常用在意見或觀點不合時，妥協的一方脫口而出的一句話。

have a sweet tooth

喜歡甜食（喜好某物）

A **I have a sweet tooth. I can't resist chocolate.**
我喜歡吃甜食，我不能抗拒巧克力。

B **Me, too.** 我也是。

A **I have a sweet tooth.**
我喜歡甜食。

B **That's why you get fat.**
所以，妳會胖。

She has a sweet tooth. She loves chocolate cakes best.
她喜歡吃甜食，她最愛巧克力蛋糕了。

"sweet" 當形容詞時，是「甜的」的意思，當名詞時是英國人說的「糖果」，在美國則會說 "candy" 。

cost someone a pretty penny 很貴

A **Wow! That ring must have cost you a pretty penny!**
哇！那戒指一定花了你很多錢！

B **Yes, I spent all my savings on it.**
是的，我把我所有的積蓄都花在那上面了！

A **This motorcycle is very expensive, isn't it?** 你這部機車很貴吧？

B **Yeah! It costs me a pretty penny.**
是呀！花了我很多錢。

That car costs me a pretty penny.
那輛車花了我很多錢！

還有一常見說法是"cost an arm and a leg"（要用一條手臂、一支腿去換）也就是「很貴」的意思。

First come, first served.

先來先招待；捷足先登。

A May I make a reservation for tonight?
我可以訂今晚的位置嗎？

B Sorry. We don't take reservations. First come, first served.
抱歉，我們不接受訂位，先來先招待！

A This restaurant is "first come, first served." 這家餐廳不接受訂位。

B That is why we should get there early. 所以，我們最好提前到。

You had better arrive there early since the restaurant is "first come, first served."
你最好早點到，因為那家餐廳不能訂位的。

"first come, first serve" 是指「依照先來後到的順序安排」的意思。

The more, the merrier. 越多越好。

A **Can I bring my friends to the party?**
我可以帶朋友來參加這個派對嗎？

B **Of course, the more, the merrier.**
當然囉！人越多越好！

A **I have some boxes. Do you need them?** 我有一些箱子，你需要它們嗎？

B **We are moving right now. So, yes, the more, the merrier.**
我們現在正在搬家，所以越多越好囉！

I love ketchup. The more, the merrier.
我愛番茄醬，越多越好。

“merry” 是「歡樂的；愉快的」，“merrier” 是 “merry” 的比較級，所以 “the more, the merrier” 的意思是「越多越快樂；越多越好」。

社交溝通篇

It's on me.

我來付。

A The beer is on me.
啤酒我請。

B Thank you.
謝謝。

A Dinner is on me.
晚餐算我的

B When did you become so generous?
你什麼時候變得那麼大方？

Everything is on me.
所有都由我請。

更多可能性

"It's on me."、"It's my treat."及"This is my round."都是「我請客」的意思，但如果在國外聽到或看到"It's on the house."那就是指「餐廳或酒館招待」的意思。

 MP3 *Track 178*

Let's call it a day.

今天到此為止吧！

A Let's call it a day! **I am so tired.**
今天到此為止吧！我好累喔！

B **Alright.**
好！

A Let's call it a day. **We will work on it tomorrow.**
今天到此為止吧！我們明天再繼續吧！

B **Good idea! I am exhausted.**
好主意。我累翻了。

更多可能性

"call it a day" 字面上的意思是「稱現在為一天」，也就是「今天就到此為止」的意思，在國外很常聽到 "How about we call it a day?"（今天就到此為止，如何？）、"Let's call it a day."（今天就到此為止吧）。

Be careful on the road. 路上小心。

A Be careful on the road.
路上小心。

B I will.
我會的。

A Be careful on the road. **It's getting dark.** 路上小心。現在漸漸天黑了。

B OK!
好的。

Be careful on the road. **There are so many cars.** 路上小心，有很多車子。

或是可以說 "Be careful on your way home!"（回家的路上注意安全！）

Drop in sometime!

有空來坐坐。

A Bye! See you next time.
再見！下次見！

B Remember to drop in sometime.
記得有空來坐坐喔！

A My house is just over there. You can drop in sometime.
我家就在那，你有空可以來坐坐。

B Sure, I will.
當然，我會的。

Please drop in sometime.
有空請來坐坐。

類似的常用語還有"stop by"、"drop by"、"swing by"，都是「順道拜訪」的意思。

Chapter 4 MP3 *Track 181*

Let's get together next time. 下次再約出來聚聚。

A **Wow! What a night!**
哇！今天晚上真棒！

B **Yeah! Let's get together next time.** 對啊！我們下次再約出來聚聚！

A **Let's get together next time.**
下次再約出來聚聚！

B **Why not?** 有何不可？

It's too late. Let's get together next time. 太晚了，下次再約出來聚聚。

"together"是「一起」的意思，"get together"也就是「相聚」的意思，還有談戀愛常聽到的"be together"（在一起）、"stay together"（繼續在一起）。

Go ahead.

請便。

A Excuse me, I want to go to the bathroom.
對不起，我要去上個廁所。

B Go ahead.
你請便吧！

A Do you mind if I use your car?
你介不介意我用你的車？

B Go ahead.
你請便吧！

更多可能性

有另一個說法是“be my guest”（請便）
例如：A: Do you mind if I turn off the light?
（你介意我關燈嗎？）
B: Be my guest.（你請便。）

It's the thought that counts. 心意最重要。

A **I was thinking about buying you a gold ring. But I didn't have enough money, so I bought you a bouquet of flowers instead.**
我本來想為你買一個金戒指，但是我沒有足夠的錢，所以我只買了一束花。

B **That's OK. It's the thought that counts.** 沒關係，心意最重要。

A **I bought you some bread, but I forgot it on the bus.** 我幫你買了一些麵包，但是我把它忘在公車上了。

B **It's the thought that counts. I am not hungry anyway.**
心意最重要，反正我也不餓。

更多可能性

常用在即使結果或送人的禮物不如預期時，這句 "It's the thought that counts."（心意才是最重要的）就非常好用。

Welcome!

歡迎你來！

A Nice to meet you.
幸會，幸會。

B Welcome. Please come in.
歡迎，請進。

A We all welcome you to join us.
我們全都歡迎你來加入我們。

B I am honored.
我很榮幸。

Welcome. Make yourself at home.
歡迎，就當自己家吧。

"welcome" 後方還可接地點，例如："welcome abroad"（歡迎搭乘）、"welcome home"（歡迎回家）、"welcome to my house"（歡迎來到我家）。

Take a seat. / Be seated. 請坐。

A Take a seat first and I'll come back to you later.
請先坐下，我等等就回來找你。

B O.K. 好的。

A Please take a seat, Mr. Wang will be right with you.
請坐，王先生馬上來了。

B Thank you. 謝謝。

Please be seated. The teacher is coming. 請坐下，老師要來了。

需要分清楚的是"sit"是動詞，而"seat"是名詞。
例如："sit down, please."（請坐下。）、
"please take a seat."（請坐下。）

I am fine. / It couldn't be better.
我很好；再好也不過了。

A **How are you?**
你好嗎？

B I am fine, **thank you .**
我很好，謝謝。

A **How are you? You look really happy.** 你好嗎？你看起來很開心。

B It couldn't be better! **I am getting married next month.**
我再好也不過了！我下個月就要結婚了。

I am fine **living alone.**
我一個人住沒問題。

說「我很好」的方式不只一種。
例如："I am good."（我很好。）、"I'm great."（我很好。）、"Fantastic!"（棒透了！）。

I think we have met somewhere.
我想我們在哪裡見過。

A I think we have met somewhere.
我想我們在哪裡見過。

B **You look really familiar.**
你看起來很眼熟。

A I think we have met somewhere.
我想我們在哪裡見過。

B **I am your Aunt Betty, don't you remember?**
我是你的貝蒂阿姨，你不記得了嗎？

也可以說"I think I've seen you somewhere."（我好像在哪見過你）。
題外話：在1980年有一部動人的經典愛情電影，就叫"Somewhere in time"《似曾相識》。

How long do you want us to wait for you?
你要我們等你多久啊？

A I will be ready soon.
我馬上就好了。

B How long do you want us to wait for you? 你要我們等你多久啊？

A How long do you want us to wait for you? 你要我們等你多久啊？

B Five more minutes. 再五分鐘。

Hurry up! How long do you want us to wait for you?
快一點，你要我們等你多久啊？

還可以換另一種說法："How much longer do you need?"（你還需要多久？）、"How much longer do I have to wait?"（我還需要等多久？）

 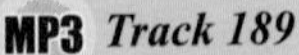

Hurry up!

快一點！

A Hurry up! **You are going to be late for school.** 快一點，你上學要遲到了。

B **Coming, coming.** 來了，來了。

A Hurry up, **James. We are all waiting for you.** 詹姆斯快一點，我們大家都在等你。

B **Sorry.** 對不起。

Hurry up. **We are late.**
快一點，我們遲到了。

更多可能性

一個 "chop" 是「砍、劈、斬」的意思，但兩個 "chop chop" 就是指做事俐落，或是用來催促別人「快！快！」的意思。通常是用在長官對下屬，或是媽媽對小孩的角度。
例如：Come , chop chop,up to bed!（來啊，快快，該上床睡覺了！）

Nice to meet you.

幸會、幸會。

A This is my little sister, Karen.
這是我妹妹，凱倫。

B Nice to meet you. I have heard a lot about you from your sister.
幸會，幸會！我常聽你姐姐提起你。

A Nice to meet you!
幸會，幸會。

B My pleasure.
這是我的榮幸。

“Nice meeting you”、“Glad to meet you.”、“Pleasure to meet you.”，或簡單地說“pleasure”都是用在初次見面，「幸會」的意思。

I'll call you back later. 待會回電給你。

A **My parents are home. I'll call you back later.**
我爸媽回來了。待會打給你。

B **OK. Bye.**
好，拜拜。

A **I need to take out the trash now. I'll call you back later.**
我現在要把垃圾拿出去，我等一下再打給你。

B **Sure.** 沒問題。

I am busy and I'll call you back later.
我現在很忙，待會回電給你。

相同的說法還有"Let me call you back."（我待會打給你；我再打給你。）

Could I speak to...

請找……

A **Hello, could I speak to Gary?**
喂？請問蓋瑞在不在？

B **Hold on a second.**
請等一下。

A **Hello, could I speak to Dr. Lin?**
哈囉！我可不可以跟林醫師說話？

B **I'm afraid you have the wrong number.**
我想你打錯電話了。

更多可能性

如果對方要找的就是你，可以說 "... speaking" ，或 "speaking" 。
例如：A: Hi, could I speaking to Michael, please?
（我可以找麥可嗎？）
B: Michael speaking.（我就是。）

Could you repeat that? 請再重複一次好嗎？

A Could you repeat that? **I didn't get it.**
你可不可以再說一次？我沒聽懂。

B **Sure! I will say it again.**
沒問題，我會再說一次。

A Could you repeat that?
你可不可以重複一遍？

B **No! I have said it three times already.**
不要！我已經說了三次了！

也可以說 "Could you say that again." （請再重複一次好嗎？）。另外還有一個類似的說法 "come again?" （再說一次），是比較直接的說法，若對不熟的人說這句話，有些不禮貌。

come in

（請）進來

A May I come in?
我可以進來嗎？

B Please!
請。

A Could I talk to you in private?
我可以私下跟你說一句話嗎？

B Sure, come in
當然囉！進來吧！

Please come in and take a look.
請進來看看。

"come in"（請進）使用的時機較廣泛，正式、非正式場合都能用，有一句很類似的"come on in"（請進）則是對家人、朋友或較熟的人說，表達熱情。

Chapter 4 MP3 *Track 195*

What are you up to lately? 最近忙些什麼呢？

A What are you up to lately?
最近忙些什麼呢？

B The same things.
一樣的東西啊。

A What are you up to lately?
最近忙些什麼呢？

B I am studying for my finals.
我在準備期末考試。

更多可能性

當朋友們問候“What are you up to lately?”（你最近忙些什麼呢？）可以回答“Nothing much”（沒什麼）或“just been busy with work”（只是忙工作罷了）就可以囉！

I am afraid...

恐怕……

A **Is Sally seriously hurt in the accident?** 莎麗在車禍中傷的嚴重嗎？

B **I am afraid she is not going to make it.** 恐怕她撐不過去。

A **I am afraid it's going to rain.**
恐怕快下雨了。

B **Bring an umbrella with you!**
帶一把雨傘吧！

I am afraid I cannot make it.
恐怕我沒辦法到。

更多可能性

當回答用“I'm afraid so”（=Yes），有「恐怕是這樣」的意思；“I'm afraid not.”（=No），則有「恐怕並非如此」之意。

online
在線上

A Tim is online. He wants to talk to you. 提姆在線上，他想要跟你說話。

B OK.
好的。

A Who is online?
誰在線上？

B Sherry is. 雪麗。

Jeff is online, so you can chat with him now.
傑夫在線上，所以你現在可以和他聊天。

"online" 是「在線上」，「不在線上」就是 "offline"，「離線」這個動作叫做 "go offline"。

You have the wrong number. 你打錯了。

A **Is Frankie there?**
法蘭琪在嗎？

B **You have the wrong number.**
你打錯電話了。

A **You have the wrong number.**
你打錯電話了。

B **I am sorry.**
對不起。

I think you have the wrong number.
我想你打錯電話了。

更多可能性

發現有人打錯電話時，還可以說 “You've got the wrong number.”（你打錯電話了）、或更簡短地說 “Sorry, wrong number!”（抱歉，你打錯了！），對方就知道了。

 MP3 *Track 199*

Give … a call.

打電話給……

A Give me a call **when you get home.** 你到家打給我。

B **OK.** 好。

A **I am not feeling well. I think I will stay home tonight.**
我不舒服，我想我今晚就待在家吧！

B Give Daisy a call **when you are free.** 等你有空的時候打個電話給黛西。

“give someone a call”是主動打電話給別人；“give someone a call back”則是「回電」的意思。

Who was it? / Who called? 誰打來的電話？

A **Who was it?**
誰打來了？

B **Wrong number.**
打錯的。

A **Who called?**
誰打來的電話？

B **It was Jeff. He was asking if he could come over tonight.**
是傑夫，他問他今天晚上可不可以過來。

更多可能性

其他類似的說法還有“Who was that?”（誰打來的？）、“Who just called?”（剛才是誰打來的？）都是差不多的意思。通通學起來，藉由多次練習，用不同的句子來對應狀況，英文自然用得容易又靈活。

 MP3 *Track 201*

What time is it?

幾點了？

A **What time is it?**
現在幾點了？

B **It's time for you to go to bed.**
該是你睡覺的時間了。

A **Wendy is always late. What time is it?** 溫蒂每一次都遲到，現在幾點了？

B **It's already five.**
現在已經五點了。

更多可能性

在外面問別人幾點的時候，可以說 "Do you have the time?"（你知道現在幾點嗎？）這句裡面的 "the" 非常重要，少了 "the" 變成 "Do you have time?" 就是「你有時間嗎？」，一字之差，意思就差很多，所以千萬要注意哦！

May I help you? / What's up?
我可以幫你嗎？／有事嗎？

A May I help you?
我可以幫你嗎？

B **Yes, I am looking for Dr. Lee.**
是的，我在找李醫師。

A **Hey!** What's up?
喂！有事嗎？

B **Nothing much.**
沒什麼。

更多可能性

當別人不知道你想做什麼的時候，或是大多的服務業通常也都會主動地說"May I help you?"（我可以幫你嗎？）；但是，打客服電話的時候，通常會聽到客服人員說"How can I help?"（有什麼能為您效勞？）。

Chapter 4 MP3 Track 203

Long time no see.

好久不見。

A Hello, Jeff. Long time no see.
哈囉！傑夫，好久不見。

B Yeah, what a surprise.
對啊！在這裡見到你真是驚喜啊！

A Long time no see. So, what are you up to lately?
好久不見，你最近如何啊？

B Nothing much.
沒什麼。

更多可能性

對於「好久不見」的朋友，除了用口語的"Long time no see."問候之外，也可以說"It's been a long time."（好久不見），或當別人這麼對自己說的時候，則可以用"It sure has."（就是啊）來回答。另外，"It's been so long."也是「好久不見」的意思。

You got me!

你考倒我了！

A **Do you know how to solve this problem?** 你知道如何解決這個問題嗎？

B **You got me! I really don't know.**
你考倒我了，我真的不知道。

A **Which way should we go?**
我該往哪裡走呢？

B **You got me! I have no idea.**
你考倒我了，我不知道。

You got me! That question is so hard. 你考倒我了！這問題真是難。

"You got me" 是「考倒我了」的意思，而 "You get me" 則是「你了解我」的意思。有如 "I get it" 是「我了解」的意思。

What are we going to do later?
我們待會要幹嘛？

實際說說看

A **It's really boring just staying here.**
What are we going to do later?
待在這裡好無聊喔，我們等一下要幹嘛？

B **I don't know. Do you have any ideas.**
我不知道，你有什麼點子嗎？

A **What are we going to do later?**
我們等一下要幹嘛？

B **I don't know. I am all worn out.**
我不知道，我好累。

更多可能性

也很常聽到 "What's the plan?"（有什麼計畫？）、"What's up for today?"（今天有什麼計畫？）或是 "Do you have any planned?"（你有什麼計畫嗎？）也都有「待會預計要做什麼」的意思。

May I have your name, please?
請問你叫什麼名字？

A I have an appointment with Mr. Kin.
我和秦先生有約。

B May I have your name, please?
請問你貴姓？

A I have reserved a table for two.
我訂了兩人的位子。

B Yes. May I have your name, please?
是的，請問你的大名是？

更多可能性

電話預約的時候要留下姓名，服務生一般會說“Can I get your name, please?”（可以給我你的姓名嗎？）；如果說“May I have your name, please?”一般是到了餐廳，要從預約名單裡找你的訂位紀錄時，服務生都會問的。

Don't take things too hard. 想開一點。

A **Cheer up.** **Don't take things too hard.** 想開一點，別把事情看的那麼嚴重。

B **I know what to do.**
我知道該怎麼做。

A **I just can't take it anymore!**
我受不了了。

B **Hey! Relax!** **Don't take things too hard.** 放輕鬆！想開一點囉。

Don't take things too hard. **It's just an interview.** 想開一點囉，只是一場面試罷了。

類似的常用語"take it to heart"是「耿耿於懷、介意」的意思。
例如：She always takes criticism to heart.
（她總對批評耿耿於懷。）

I can't do anything

我無能為力

A I felt so bad. I can't do anything to help her.
我覺得好難過，我沒法為她做任何事。

B You've done what you could.
你已經做了你能夠做的了。

A Sandy never reflects on herself.
珊迪從來不反省她自己。

B Well, I can't do anything for her.
恩，我也沒辦法。

I can't do anything to stop this war.
我無能為力停止這戰爭。

另一種說法是 "there's nothing I can do about..."（我無能為力）。

take care

保重

A Remember to take care of yourself when you get there.
你去到那邊要保重自己。

B I know. You, too.
我會的。你也是！

A Bye! Take care.
再見！保重。

B See you. 再見！

Take good care of yourself.
好好保重自己。

"take care of" 除了「保重」，如果在電影或小說裡看到幫派份子說 "I'll take care of him" 就會是「我會處理他；我會讓他閉嘴」的意思。

It's here!

在這兒！

A It was here **that I left my bag.**
我剛剛把我的包包放在這兒。

B **Then why can't you find it?**
那你為什麼找不到呢？

A It's here! **I found your cat!**
在這兒！我找到你的貓了。

B **Thank you so much.** 真是謝謝你！

It was here **that we met each other for the first time.**
這裡是我們第一次相遇的地方。

"here" 是「這裡」的意思，「那裡」是 "there"，要說「在這裡」可以說 "over here"，「在那裡」則是 "over there"。

Chapter 4 MP3 *Track 211*

It's time to go.

該走了。

A **Oh my God! I have lost track of time.** It's time to go.
天啊！我沒掌握好時間，我該走了。

B **OK. See you then.** 好，再見囉。

A **Hurry up!** It's time to go.
快一點，該走了。

B **Just a minute.** 再等一下。

It's time to go, **or we're going to be late.** 該走了不然我們要遲到了。

更口語化的說法是 "...have got to go"
例如：A: Give me ten more minutes to get ready.
（再多給我十分鐘準備出門。）
B: We've got to go. Stop messing around!
（我們該走了，別再浪費時間了。）

Do you mind...

你介意……？

A Do you mind **if I sit beside you?**
你介意我坐你旁邊嗎？

B **Of course not. Take a seat.**
當然不會囉。請坐。

A Do you mind **not chewing so loud?**
你介意不要吃的那麼大聲嗎？

B **Oh, I am sorry about that.**
對不起。

Do you mind **if I turn off the light?**
你介意我關燈嗎？

若有人大聲地對你說"Do you mind?"就不只是「你介意嗎？」的意思，比較像是「你可以不要這樣嗎？」的意思。

And you?

你呢？

A **I want to have a cheeseburger. And you?**
我要一個起司漢堡，你呢？

B **I will have a hotdog.**
我要一個熱狗。

A **I am not hungry. I will just have a cup of coffee. And you?**
我不是很餓，我只要一杯咖啡，你呢？

B **Me, too.**
我也是。

更多可能性

“And you?” 簡略的說法，還可以說 “How about you?” 、 “What about you?” 這些都是「你呢？」的意思。這句話也是一種順接的口語，也常用在你回答別人問題之後，反問對方剛才問你的問題。

Do you know...?

你知道……嗎？

A Do you know **what happened to him?** 你知道他怎麼了嗎？

B **No. What's wrong?**
不知道耶，怎麼了？

A Do you know **the way to the town center?** 你知道怎麼去鎮中心嗎？

B **I am sorry I don't.**
對不起，我不知道。

Do you know **when we'll go back?**
你知道我們什麼時候會回去嗎？

"do you know" 這句話，前方還可以加疑問詞。
例如："How do you know?"（你怎麼知道？）、
"What do you know?"（你知道些什麼？）

Chapter 4 MP3 *Track 215*

You are joking!

別開玩笑了！

A **He says that he will give me a mansion if I marry him.**
他說如果我嫁給他，他要給我一棟別墅。

B **You are joking! It's impossible.**
別開玩笑了，那是不可能的。

A **You are joking! I won't believe you.** 別開玩笑了，我不會相信你的。

B **Hey, it's true.** 嘿，這是真的。

You are joking! That is not true.
別開玩笑了！這不是真的。

更多可能性

"You are joking" 是「你在開玩笑吧！」，類似的表達方式還有 "Seriously?"（認真的？）或英國人常說的 "Are you having a laugh?"（你是在開玩笑嗎？）

Who is it?

誰啊？

A Who is it?
誰啊？

B **It's me. Open the door.**
是我，開門吧。

A Who is it? **I won't open the door unless you speak up.**
是誰啊？你不說話我就不開門。

B **Hey! It's me, Larry.**
是我啦！賴瑞。

通常在應門時，中文會說：「你是誰？」，英文則不可直接用 "Who are you?" 。因為尚無法分辨是男是女，所以英文要用 "Who is it?" （是誰啊？）；但若是聽到了聲音卻沒看到人的時候會說 "Who's there?" （誰在那裡？）這是常在驚悚片聽到的一句台詞。

Is it clear?

清楚嗎？

A **Let me try this pair of glasses.**
讓我試試這副眼鏡。

B **Is it clear?**
清楚嗎？

A **Please go to the counter for checking-in. Is it clear?**
請到櫃檯辦理登機，清楚嗎？

B **Yes.** 是的。

The test will cover 3 chapters. Is it clear? 這次考試涵蓋了三個章節，清楚嗎？

對於“is it clear?”，可以回答“crystal clear”（像水晶一樣清晰透澈，也就是非常清楚；極其明白）或也有人喜歡簡短地說“crystal”。

Let's go!

我們走吧！

A Hi! I'm here.
嗨！我在這。

B Great. Let's go then.
很好，我們走吧！

A Want to go shopping?
要去逛街嗎？

B Yes, let's go!
好啊！我們走吧！

Let's go! It takes a long time to get there. 我們走吧！到那裡需要花很多時間。

"Let's go" 後方可接動作，例如："Let's get going"（我們出發吧）、"Let's go shopping"（我們去購物吧）、"Let's dance"（我們來跳舞）。

Chapter 4 MP3 Track 219

What you see is what you get.

你看到什麼（東西、物品）就是什麼。

A Are there any other colors?
有沒有其它的顏色？

B No, I am sorry. What you see is what you get.
沒有，對不起，有的就是你看到的這些了。

A If you could lower the price, I will buy it. 如果你把價錢降低一點，我就買了！

B I am sorry I can't lower the price anymore. What you see is what you get. 對不起，我不能再降了，就是你看到的這個價錢了。

更多可能性

"What you see is what you get." 除了拿來形容物品，還能拿來人的性格「直率、不做作」。
例如：She is a "what you see is what you get" kind of person.（她這個人的性格誠如所見。）

Is there anything I can help you with?
有什麼我可以幫忙的嗎？

A Is there anything I can help you with?
有什麼我可以幫忙的嗎？

B **No, I'm fine.**
沒有關係，我可以。

A Is there anything I can help you with?
有什麼我可以幫忙的嗎？

B **Yes, please.**
有的，拜託。

還可以說 "Can I help you with anything?"（可以為您效勞嗎？）、"How can I help?"（我能怎麼幫您？）另外，若是用在正式場合，建議還是用 "How may I help you."（我能怎麼幫您呢？）會比較好哦。

Chapter 4 MP3 Track 221

I'll be right there.

馬上來。

A Come quickly!
快點來！

B I'll be right there.
馬上來。

A Are you coming?
你要來了嗎？

B Yes, I'll be right there.
是的，馬上來。

Please wait for one minute. I'll be right there. 請等我一分鐘，我馬上來。

類似的其他表達還有"I'll be right here."（我會待在這）、"I'll be right back."（我馬上回來）、"I'll come right down."（我馬上下樓）

Chapter 4 MP3 *Track 222*

Do you have a second now? 你有時間嗎？

A Do you have a second now?
你有時間嗎？

B **Yes, I do.**
有。

A Do you have a second now?
你有時間嗎？

B **Sure.**
當然。

更多可能性

還可以直接地問“Do you have time?”（你有時間嗎？），或“Do you have a minute?”（你有一分鐘嗎？也就是「你有時間嗎？」的意思），沒有時間的話，可以回答“No, I don't. Sorry.”（抱歉，我沒時間）

Chapter 4 MP3 *Track 223*

Let me think about it. 讓我考慮一下。

A **Do you want to buy this?**
你要買這個嗎？

B **Let me think about it.** 讓我考慮一下。

A **Do you plan to go?** 你有計劃要去嗎？

B **Let me think about it.**
讓我考慮一下。

Let me think about it. This question is not easy. 讓我考慮一下，這個問題不簡單。

更多可能性

還可以說“I need to think about it.”（我必須考慮一下）。若是無法馬上做決定，則可以說“I can't decide right away.”；或者用“Let me sleep on it.”（讓我想一想明天再決定），“sleep on+某事／某物”，是表示「考慮一晚，隔天再決定」。

Chapter 4 MP3 *Track 224*

What then / How then / Where then? 不然呢？

A Why did you come here?
你為什麼要來這裡？

B Where else then?
不然去哪裡呢？

A Are you out of your mind?
你瘋了嗎？

B What then?
不然呢？

更多可能性

“then” 是「接著；然後」的意思，有一種「不然要怎麼樣？；不然要去哪？」的意思，是詢問別人是否有更好的想法，但因為說法是比較直接的，所以要使用時，要盡量注意使用的場合與說話的態度。

Chapter 4 MP3 Track 225

Sounds like...

聽起來像是……

A **Did you hear that?**
你聽到了嗎？

B **Sounds like a bird singing.**
聽起來像是鳥在唱歌。

A **Let's go to the park.**
我們去公園吧！

B **Sounds like fun.**
聽起來很好玩。

Sounds like you are going to study abroad. 聽起來好像你要出國唸書了。

類似的表達方式還有"looks like"（看來）、"seems like"（似乎看起來）、"feels like"（感覺起來）

Chapter 4 MP3 *Track 226*

What date is today?

今天是幾號？

A What date is today?
今天是幾號？

B **It's the fifth.**
今天是五號。

A What date is today?
今天是幾號？

B **It's the first.**
今天是一號。

更多可能性

需要注意的是"date"與"day"的差別，兩者聽起來很像，但意義不同。"date"指的是「日期」，而"day"是「星期幾」，所以問"What day is today?"的時候，別人可能會回答"Moday"「今天星期一」。

Chapter 4 MP3 *Track 227*

I'm not sure.

我不確定。

A **Can you come?**
你可以來嗎？

B **I'm not sure.**
我不確定。

A **Is she here?**
她在這裡嗎？

B **I'm not sure.**
我不確定。

I'm not sure if I want to go with you.
我不確定我想不想跟你去。

若想說「我不完全確定」可以說“I'm not entirely sure.”或“I'm not totally sure.”或“I don't know for sure.”。

Lock the door, please. 請把門鎖上。

A **I'm home.**
我回來了。

B **Lock the door, please.**
請把門鎖上。

A **Can I come in?**
我可以進來嗎？

B **Yes, but lock the door, please.**
可以，但請把門鎖上。

It's very windy. Lock the door, please. 風很大，請把門鎖上。

或是可以說 "Close the door, please."（請關門）；相反地，可以說 "Leave the door open, please."（請別把門關上）

Are you ready?

準備好了嗎？

A **Are you ready?**
準備好了嗎？

B **Yes, let's go.**
好了，走吧！

A **Are you ready?**
準備好了嗎？

B **Can you wait for me?**
你可以等我嗎？

更多可能性

"Are you ready" 後方可加動作，例如，"Are you ready to go?"（你準備好走了嗎？）、"Are you ready to order?"（你準備好點菜了嗎？），或是可以說 "Ready to roll?"（準備好了嗎？），"roll" 是「滾、滾動、捲、翻滾」的意思，但在這裡，"roll=leave"，當「走；離開」用。

Better left unsaid.

還是別說的好。

A So what happened to your friend who stole money from his company?
你那個偷公司錢的朋友現在怎麼樣？

B Better left unsaid. 還是別說的好。

A Did Mary really have an affair with her boss?
瑪麗和他的老闆真的有婚外情嗎？

B It's better left unsaid.
還是別說的好。

This is a secret. It's better left unsaid.
這是個秘密，還是別說的好。

常會聽到別人說："Some things are better left unsaid." 也就是「有些事還是別說的好」。

Chapter 4 MP3 *Track 231*

Along the way
順便

A Will you take this along the way home? 你可以順便把這個帶回家嗎？

B Sure.
當然。

A Will you buy some drinks along the way?
你可以順便買些飲料嗎？

B No problem. 沒問題。

I bought the cake along the way.
我順路買了個蛋糕。

"Along the way" 還有「在這個過程中……」的意思例如："I have learned a lot from you along the way."（在這個過程中，我跟你學了很多。）

Next time.

下次吧！

A **When will you come?**
你什麼時候會再來？

B **Next time.**
下次吧！

A **When will I see you?**
我什麼時候才能再見到你？

B **Next time.**
下次吧！

Come to see me next time.
下次來看看我吧。

“Another time”也有「改天、下一次」的意思，例：“I will come to see you at another time.”（下次再來看你。）

Chapter 4 MP3 *Track 233*

What's it got to do with you? 干你什麼事？

A **Go ahead and do it.**
去做！

B **What's it got to do with you?**
干你什麼事！

A **Don't be mad at him anymore.**
不要再生他的氣了！

B **What's it got to do with you?**
干你什麼事！

更多可能性

"What's it got to do with you."是很口語化的說法，類似的說法有"Mind your own business."（管好你自己就好）或"Why do you care?"（你為什麼在意？）。要特別提醒："Not your business!"（要你管）以及"It's none of your business!"（與你無關！）都是更兇、口氣更不好的說法。

I just don't understand...

我就是想不通……

A **He's acting weird.** 他表現得怪怪的。

B **I just don't understand why.**
我就是想不通為什麼……

A **He likes to be alone.**
他喜歡自己一個人。

B **I just don't understand why.**
我就是想不通為什麼……

I just don't understand why she did such a horrible thing.
我就是想不通為什麼她會做這麼過份的事。

更多可能性

也可以換另一種說法："It puzzles me"（令我困惑），也有像謎一樣，讓我想不通的意思。

Now you know!

你現在才知道！

A So the earth is round?
所以地球是圓的？

B Now you know. 你現在才知道？

A That's why you don't like him.
所以你會不喜歡他。

B Now you know! 你現在才知道？

Now you know! She is not a good person. 現在你知道了，她不是好人。

延伸學習：
大多我們會用"I know"來表示「我知道」或是「我明白」了。但疏不知"I know"是一個「不謙虛」的說法，意思是「我早知道了，不用你來告訴我」。建議下次用"I see"會比較好，表示「恍然大悟」，終於明白了。而"I understand"則比"I see"又正式，表示瞭解對方。

Get out.

滾！

A Get out.
滾！

B Fine.
好啊！

A Get out.
滾！

B This is my house, too.
這也是我的房子。

Get out of my room.
離開我的房間。

"Get out of..." 是「離開⋯⋯」的意思，例如："Get out of my way."（別擋我的路）"Get out of my sight."（離開我的視線；別讓我看到你）

Cut it out!

別鬧了（停止打鬥、爭吵等）！

A Cut it out! **The baby is sleeping.**
別鬧了！小嬰兒在睡覺。

B **Sorry about that.** 對不起。

A Cut it out! **We have to get this done by Tuesday.**
別再鬧了！我們星期二前要做完耶！

B **Don't worry. We still have plenty of time.** 別擔心，我們多的是時間

Cut it out! **The room is already a mess.**
別再鬧了！房間已經一團亂了。

除了“Cut it out!”，還可以說“Knock it off!”或是簡單地說“Stop it!”，都能表達相同的意思，叫別人「停止胡鬧」。

God! What the hell are you doing?
天呀！你到底在幹嘛？

A God! What the hell are you doing?
天呀！你到底在幹嘛？

B **Drawing.**
畫畫。

A God! What the hell are you doing?
天呀！你到底在幹嘛？

B **Cleaning your room.**
清理你的房間。

更多可能性

“What the hell”是很廣泛使用的一句話，“hell”常被用在英文口語裡，因為它可以用來表達不同的情緒，像是憤怒、慌恐、困惑、不在乎等等，可以用來增強語氣。這麼好用的一個字，怪不得外國人對它愛不釋口。“hell”雖稍微不雅，但不至於「非常不禮貌」，稍微委婉一點的說法是“What the heck?”（搞什麼？）也很常聽到。

Chapter 4 MP3 *Track 239*

Come on, Just go along with it.

好啦！將就一點嘛！

A This is a dirty place.
這裡真髒。

B Come on. Just go along with it.
好啦！將就一點嘛。

A This place is small.
這裡真小。

B Come on. Just go along with it.
好啦！將就一點嘛！

更多可能性

"go along with" 還有「一起去，讚同某人、某事，附合」的意思。
例如： "I tend to go along with Mike's idea."
（我多半同意麥可的點子。）

It's better not to talk about it. 還是別說好了。

A **I don't like my teacher.**
我不喜歡我的老師。

B **It's better not to talk about it.**
還是別說好了。

A **I don't like the food.**
我不喜歡這些食物。

B **It's better not to talk about it.**
還是別說好了。

更多可能性

或是可以說“Let's not talk about that.”（我們別談這個）、“Let's talk about something else.”（我們談別的吧）。另外，多學一句：“Don't go there.”（別提起那件事。）則是提醒別人不要聊起不該聊的事，亦即「別提了」。

Under normal circumstances
在正常情況下

A Under normal circumstances, **this will work.** 在正常情況下，這個是會作用的。

B **Really?** 真的

A Under normal circumstances, **he will listen to you.**
在正常情況下，他會聽你的。

B **Maybe there is something wrong with him.** 也許他發生了什麼事情。

Under normal circumstances, **you can learn all these things in two months.**
在正常情況下，你可以在兩個月之內學完所有的事情。

更多可能性

也可以用單字簡單地來表達，例如："Normally"（正常來說）、"Usually"（通常來說）或"Typically"（一般來說）。

We'll do as you say.

就照著你的意思做吧！

A **I want to go there.**
我要去那裡。

B **We'll do as you say.**
就照著你的意思做吧！

A **I want this here.** 我要放在這裡。

B **We'll do as you say.**
就照著你的意思做吧！

It's your house. We'll do as you say.
這是你的房子，就照你的意思做吧！

"as you say"是「正如你說的」的意思，
例："As you say, we should hand in homework on time."（正如你說的，我們要準時交功課。）

Chapter 4 MP3 *Track 243*

So happy to see you.
真高興見到你。

A **Hi!**
嗨！

B **So happy to see you.**
真高興見到你。

A **Long time no see.**
好久不見。

B **So happy to see you.**
真高興見到你。

I'm so happy to see you here.
很開心在這裡見到你。

還可以說 "So nice to see you"、"Good to see you"、"Lovely to see you" 都是「見到你真好」的意思。

Whose is it?

這是誰的東西？

A I found a watch.
我找到一隻錶。

B Whose is it?
這是誰的東西？

A Nice bag. Whose is it?
包包真美，這是誰的？

B It's mine.
是我的。

更多可能性

"Who does it belong to?" 也是「這是誰的？」的意思。
延伸學習："belong to me"（屬於我），"belong with me"（和我在一起），在使用時，要特別注意。例："You belong to me."（你屬於我），可能會被白眼；但如果你說 "You belong with me."（我們是天生一對），就是告白的意思啦。

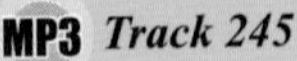

When are you paying me back?
你什麼時候還我錢？

A When are you paying me back?
你什麼時候還我錢？

B **Next month.**
下個月。

A When are you paying me back?
你什麼時候還我錢？

B **I am sorry. I'm still tight with money.**
對不起，我的手頭還是很緊。

I need money. When are you paying me back? 我需要錢，你什麼時候還我錢？

更多可能性

「欠錢」是“owe...money”，例如：“You owe me ten dollars.”（你欠我十元）；或是「欠人情」叫做“owe...one”，例如，“I owe you one!”（我欠你一個人情）

Talk to you later.

待會兒再跟你談。

A **I need to go now. Talk to you later.**
我現在得走了，等會兒再跟你談。

B **Bye.** 再見。

A **The meeting will be held in three more minutes.**
會議將在三分鐘左右後開始。

B **OK. I will talk to you later then.**
好，我待會兒再跟你談吧！

I have a meeting in a minute. Talk to you later. 我現在馬上有個會議，等會兒再跟你談。

還可以說“Talk to you tomorrow”（明天再聊）或“Talk to you soon”（我們很快會再聊）

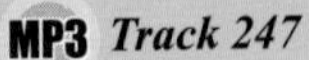

I didn't notice.

我沒注意。

A Was that Tim who just passed us?
剛剛經過我們的是提姆嗎？

B I didn't notice. 我沒注意。

A Did you see the bad guy leaving a note in Tom Hanks' pocket?
你沒有沒看到那個壞人在湯姆漢克的口袋裡留了一張紙條？

B I didn't notice. 我沒注意！

I didn't notice that I left my pencil box there.
我沒有注意到我把自己的鉛筆盒留在那邊。

"notice"是「注意」的意思，告示牌上方，也常會看到"NOTICE"，就是要「請你注意」的意思。

Nobody knows. / Who knows?
沒人知道（答案）／誰知道？

A **Who did it?**
誰做的？

B **Nobody knows.**
沒人知道。

A **Who took your book?**
誰拿了你的書？

B **Who knows?**
誰知道？

其他常見的說法還有 "God knows!"（天知道！）、"Heaven knows!"（天知道！）或直接說 "How will I know?"（我怎麼會知道？）、"It's anyone's guess."（沒有人知道）、"don't ask me."（不要問我。）

Chapter 4 MP3 *Track 249*

That's fine with me!

我沒意見！

A **What do you think of this?**
你覺得這如何？

B **That's fine with me!** 我沒意見。

A **I'll let him use your car when you're on vacation. Is that OK?**
你去渡假時，我讓他用你的車，可以嗎？

B **That's fine with me!**
我沒意見。

No need to ask me. It's fine with me!
不需要問我，我沒意見。

更多可能性

還有一個常見的講法是"That's fine by me"（我沒意見），但一般來說，"That's fine with me"（我沒意見）是較正式的用法。

Let's talk about it.

我們商量一下。

A **Where should we go on our first day?** 我們第一天要去哪裡？

B **Let's talk about it first.**
我們先商量一下。

A **What should we eat?** 我們要吃什麼？

B **Let's talk about it first.**
我們先商量一下。

Let's talk about the plan for our summer vacation.
我們來討論一下暑假計劃。

更多可能性

有句類似的話："We need to talk"（我們需要談一談），通常聽到這句話，就表示對方想說一件嚴肅、認真的事。

Send my regards to... for me.
代我問候。

A **See you next time.** 下次見！

B **Bye! Send my regards to Kelly for me.** 再見，替我向凱利問好。

A **It was a pity that Helen didn't come. Remember to send my regards to her for me.**
海倫沒來真可惜，記得幫我跟她問好。

B **Sure, I will.** 當然，我會的。

Send my regards to Susan for me next time. 下次請代我跟蘇珊問好。

也可以簡單地說“Say hi to... for me”（替我向某人問好）
例如：Biff: Say hi to your mom for me.
（替我向你媽問好。）

Could you lend me some money? 可以借我點錢嗎？

A Could you lend me some money?
你可以借我一點錢嗎？

B **Sorry. I am broke myself.**
對不起，我自己也破產了。

A Could you lend me some money?
你可以借我一點錢嗎？

B **Sure! How much do you need?**
沒問題！你需要多少錢？

更多可能性

"lend" 與 "borrow" 都是「借」的意思，但常常很容易讓人搞錯正確地的使用時機。特別說明："lend" 是「借給別人」；而 "borrow" 是「向別人借」，用法不同，下次可別搞混了哦！

Chapter 4 MP3 *Track 253*

This is my parking space.

這是我的停車位。

A **This is my parking space.**
這是我的停車位。

B **Who said so?** 誰說的？

A **This is my parking space. Please pull your car out.**
這是我的停車位。請把你停的車開出來。

B **Sorry.** 對不起。

This is my parking space, not yours.
這是我的停車位，不是你的。

停車場的英文，美國人說"parking lot"，在英國則說"car park"，這些大家幾乎都學過。但其實並不是所有的停車場都叫"parking lot"，"parking lot"指的是「室外停車場」，若是「室內停車場」，要說"parking garage"；至於台灣很常見的「機車停車格」，則是"parking spaces for scooters."。

Are you wearing a new outfit today?
你今天穿新衣服嗎？

A **Are you wearing a new outfit today?**
你今天穿新的衣服嗎？

B **No, I bought it last year.**
不是，我去年買的。

A **Are you wearing a new outfit today? It looks really nice.**
你今天穿新的衣服嗎？看起來很好看。

B **Thank you.**
謝謝。

更多可能性

「稱讚別人的穿著」幾乎是現代人打招呼或是聊天的重要話題，若是要稱讚別人的穿著，你可以說 "I love your outfit! Where did you get it?"（我喜歡你穿的衣服，你在哪買的？）下次想要拉近和新朋友的距離，就從這一句讚美開始吧！

give it a go

試試看

A **I have some cookies. Do you want to give it a go?**
我有一些餅乾。你要試吃看看嗎？

B **Yes, please.** 好，謝謝！

A **Why don't you give it a go one more time?** 你何不再試一次呢？

B **No, I have had enough.**
不，我已經試夠了。

I think you should give it a go.
我覺得你應該試試看。

類似的常用語還有"give it a try"（試試看）、"give it a chance"（給它個機會；等它一下）或"give it a shot"（給它一次機會吧）

Could you give me a ride?

方便載我一程嗎？

A Could you give me a ride? **My house is only three blocks away.**
方便載我一程嗎？我家只離這裡三條街區遠。

B **Sure. Why not?**
當然，有什麼不可以。

A **I twisted my ankle.** Could you give me a ride?
我的腳踝扭到了。你可不可以載我一程？

B **Where do you live?**
你住哪裡？

更多可能性

想請人載，可以說"Could you give me a ride?"或"Could you give me a lift?"，都是「可以載我一程嗎？」的意思。
例如：Could you give me a ride/lift home?
（你能載我回家嗎？）

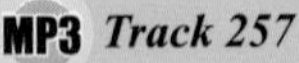

Your outfit is dazzling.

你的穿著好炫！

A Wow! Your outfit is dazzling.
哇！你的穿著好炫喔！

B Thank you.
謝謝你。

A Your outfit is dazzling.
你的穿著好炫喔！

B It took me awhile to come up with what to wear to the party.
我想了好一陣子才知道要穿什麼來參加派對。

更多可能性

還有很多單字，可以形容別人的造型。
例如："glamorous"（華麗的）、"amazing"（令人驚喜的）、"stunning"（令人驚豔的）、"lovely"（可愛的；漂亮的）

Now that's the way.

這還差不多。

A OK. I'll go with you.
好，我跟你走。

B Now that's the way.
這還差不多。

A I'll do my homework before I play.
我要先做功課再去玩。

B Now that's the way.
這還差不多。

有句很有趣的諺語："That's the way cookie crumbles"（情況就是如此，就像吃餅乾會掉屑一樣，難過也沒用）

例如：I'm quite sad about not getting the job I wanted, but that's just the way cookie crumbles.（我很難過，沒有得到那份工作，但事情就是這樣。）

How's the weather today?

今天天氣怎麼樣？

A How's the weather today?

今天天氣怎麼樣？

B It's sunny.

晴天。

A How's the weather today?

今天天氣怎麼樣？

B Very hot.

很熱。

"How's the weather?"（天氣如何？）、"What's the weather like?"（氣候如何？）這兩句話有些微的不同，前者主要問「天氣好不好？」，別人主要會回答「好或不好」後者則是「天氣怎麼樣？」回答會出現更多的形容。

Chapter 4 MP3 *Track 260*

Have a nice day!

祝你今天愉快！

A Good morning.
早安！

B Good morning. Have a nice day.
早安！祝你今天愉快！

A Have a nice day!
祝你今天愉快！

B Same to you.
你也是喔！

祝別人過得愉快，有很多種講法
例如："Have a great day."（祝你今天愉快。）、"Have a lovely evening."（祝你有個美好的夜晚。）、"Have a good night."（祝你有個美好的夜晚。）

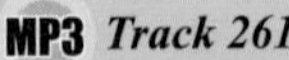

Take it or leave it.

要就要，不要就拉倒。

A Don't you have anything better than milk? 你沒有比牛奶更好的了嗎？

B Milk is all I have. Take it or leave it. 我只有牛奶，要就要，不要就拉倒。

A I'll buy it if you lower their price.
如果你降價的話，我就買。

B No, take it or leave it.
不行，你要就要，不要就拉倒。

Cut the crap. Take it or leave it.
不要廢話，要就要，不要就拉倒！

"Take it or leave it" 字面上的意思是「要就拿走，不然就別碰」，是「別無選擇」的意思，「沒得選了，要就要，不要就拉倒」。

Look who's talking!

看看你自己吧！

A **You should really go on a diet.**
你真的應該要減肥囉。

B **Look who's talking! You have gained a few pounds yourself.**
看看你自己吧！你也增加了幾磅啊。

A **Jimmy never finishes his food.**
吉米每次東西都不吃完。

B **Look who's talking! You never finish your food, either.**
你自己還不是一樣，你也不吃完你的東西啊。

更多可能性

"Look who's talking" 字面上的意思是「看看是誰在說話」，一般情況下，說這句話是「看看你自己，有什麼資格講別人」的意思，亦指「下次要刮別人鬍子之前，先把自己的鬍子刮乾淨。」

 MP3 *Track 263*

take my word for it

相信我的話

A You said that restaurant serves really good food?
你說那家餐廳的餐真的很好吃？

B Yeah, you could take my word for it. 是啊！你可以相信我的話！

A Are you sure she won't mind me borrowing her bag?
你確定她不介意我跟她借包包？

B Don't take my word for it. Maybe you should ask her in person.
別相信我的話，也許你該親自問她。

"Take my word for it" 就是「相信我說的話」，也可直接說 "Trust me"、"Believe me"，這些都是「相信我」的意思。

 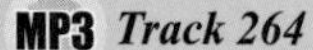

Track 264

What's the catch?

有什麼意圖？

A **Do you need me to help you with anything?** 你需不需要我幫你做什麼事啊？

B **What's the catch?**
你有什麼意圖？

A **Dinner is on me!** 今天我請你吃飯！

B **What's the catch?**
你有什麼意圖？

Why is Harry being so nice to me all of a sudden? What's the catch?
哈利為什麼突然對我那麼好？有什麼意圖？

"catch" 有「陷阱；圈套；詭計」的意思，因此 "what's the catch?" 就是「你有什麼意圖？」，懷疑別人別有目的。

once in a blue moon

千載難逢；難得一次

A Did you see the old lady that lives next door?
你有沒有看到住你家隔壁的老太太？

B Only once in a blue moon.
難得一次。

A I go to the gym once in a blue moon.
我很久才去一次健身房。

B You should work out more.
你應該多運動！

“blue moon”是「藍月」，大部分一年只會出現12次滿月，每隔兩、三年會有一次額外的滿月，這個額外的滿月就稱為「藍月」，因此“once in a blue moon”就是指「很難得的事」。

to take a rain check
改天再約

A Still coming to the movies with us tonight?
今晚還來跟我們一起看電影嗎？

B Sorry, I don't feel well. I will have to take a rain check.
抱歉，我身體不舒服，我們改天再約吧。

A About our date, I am afraid I will have to take a rain check.
我必須取消今晚的約會，我們改天再約吧。

B That's alright.
沒關係。

"rain check" 字面上的意義是「雨天支票」，許多活動「遇雨順延」時，就會發給觀眾 "rain check" 下次使用，所以， "take a rain check" 就是「下次再約；下次再說」的意思。

 MP3 *Track 267*

Over my dead body!

想都別想（除非我死了）！

A Dad, can I please marry George?
爸，我可不可以嫁給喬治？

B Over my dead body! I am not going to let my daughter marry someone who can't even feed himself.
想都別想！我不會把我女兒嫁給一個連自己都餵不飽的人。

A Can I borrow your car?
我可不可以跟你借車？

B Over my dead body! You just totaled my last one!
想都別想，你把我上部車撞爛了。

同樣表達「強烈拒絕」之意的英文口語還有 "In your dreams"（做你的夢吧）、"Fat chance"（休想）、"Not in a million years"（這輩子別想）。

You can say that again!/ You said it!
你說得沒錯；你說對了！

A That was the best concert I've ever seen.
那是我看過最好的演唱會！

B You can say that again!
你說得沒錯！

A Your mom makes the best bread ever.
你媽媽做的麵包是最棒的。

B You said it.
你說對了！

當聽到"You can say that again"，可別認為是「你可以再說一次」的意思，這句話真正的意思是「你說的沒錯」。同樣能夠表示「你說得沒錯、你說對了」的常用口語有"How true!"（千真萬確！）、"You bet."（沒錯。）、"That's for sure."（那是當然。）

Chapter 4 MP3 *Track 269*

let the cat out of the bag

洩漏祕密

A How did Lisa know about this?
莎莉怎麼知道這件事的？

B Bill let the cat out of the bag.
是比爾洩漏祕密的。

A Who let the cat out of the bag?
是誰洩密的？

B It was Tim.
是提姆。

更多可能性

"let the cat out of the bag" 字面上的解釋是「把那隻貓從袋子裡放出來」，實際的意思就是「在不小心的情況下洩露了秘密」；但如果有人說 "the cat is out of the bag"，那就是「秘密已經傳出去了」的意思，說的是不同的兩個情況。

bark up the wrong tree

精力用在不該用的地方；錯怪人；目標錯誤

A **Can you lend me some money?**
你可不可以借我一些錢？

B **Well, you are barking up the wrong tree.** 你找錯人了。

A **It seems like editing is easy.**
編輯似乎很容易。

B **If you are looking for an easy job, you are barking up the wrong tree.**
你若是在找一個輕鬆的工作的話，你的目標就錯了。

更多可能性

"bark up the wrong tree" 字面上的意思是「狗對著不對的樹吠」，引申為「找錯目標；你錯了」的意思。

工作職場篇

Chapter 5 MP3 *Track 271*

supposed to

應該是

A **Where are the books?**
書在哪裡呀？

B **They are supposed to be on the shelf.** 它們應該在書架上的。

A **You were supposed to turn in the report yesterday.**
你昨天就應該交報告了。

B **Oh, no!** 糟了！

I'm supposed to let you know first.
我應該先讓你知道。

"supposed to" 與 "should" 都是「該」的意思，但實際用起來，卻有些微的不同。"supposed to" 是「本來應該……」而 "should" 則多用於「應該做某事」。

My computer crashed.

我的電腦當機了。

A **Why are you using my computer?**
你幹嘛用我的電腦？

B **My computer crashed.**
我的電腦當機了。

A **My computer crashed. Could I use yours?**
我的電腦當機了，我可以用你的嗎？

B **Sure!**
當然囉！

“crash”是「崩潰；癱瘓」的意思，因此電腦當機時，我們會說“My computer crashed”而不是“My computer broke”或“My computer is broken”，“broken”是形容詞，意思是「碎裂的」，若是電腦摔到地上，螢幕碎裂，就可以用這個字。另外，要表達電腦當機不能用了，你也可以很簡單的說“My computer is not working.”。

Can you handle it?

做得來吧？

A Can you handle it?
你可以做得來嗎？

B No problem!
沒問題。

A It's a pretty hard job. Can you handle it?
這工作很難，你做得來嗎？

B I will try my best.
我會盡力的。

更多可能性

"handle" 是「處理」的意思，可以說 "I can hadle it."（我可以處理，沒問題）、"You handled the situation really well."（這件事你處理的真好）。另外，一個跟 "handle" 有關的常用語："too hot to handle"，直譯是「燙得碰一下都不行」，引申為「叫人左右為難的棘手事」。

I have to attend a meeting later. 等會我要開會。

A Want to go have a cup of coffee?
要不要去喝杯咖啡？

B No, thanks. I have to attend a meeting later.
不，謝了，我等一下要去開會。

A Can you mail these letters for me? I have to attend a meeting later.
你可以幫我寄一下信嗎？我等一下要去開會。

B Sure thing.
沒問題。

更多可能性

"I have to attend a meeting later." 的句型很好用，除了用在 "attend a meeting"（開會）之外，還可以用 "attend a lecture"（上課）、"attend a class"（上課）、"attend a wedding"（參加婚禮）等等相關字來替換。

What's on tap for today?
今天有什麼事要完成的？

A What's on tap for today?
今天有什麼事要完成的？

B **Nothing much.**
沒什麼。

A What's on tap for today?
今天有什麼事要完成的？

B **We have to finish the project today.**
我們今天要做完這個計劃案。

“tap” 是「水龍頭」的意思，而 “on tap” 就是「水龍頭一打開就有的東西；可以隨時使用的」，“What's on tap for today?” 這句話引申為「今天有什麼事要完成的？；今天有什麼計畫？」

It's acceptable.

可以接受的。

A How was my report?
我的報告如何？

B It's acceptable. 還可以接受。

A I will give you this ring if you help me. 你如果幫我，我就把這個戒指給你。

B Sounds fair. It's acceptable.
公平啊，可以接受。

It's acceptable that you take her position. 你接受她的位子是可接受的。

"acceptable" 通常代表「差強人意、不特別好，也不特別爛，還可以」的意思。
例如："not ideal but acceptable"
（不是最理想，但還可接受。）。

Chapter 5 MP3 *Track 277*

The sooner, the better.

越快越好。

A When should I come home?
我什麼時候該回到家？

B The sooner, the better.
越快越好。

A When do you want this mailed?
你什麼時候要寄這封信？

B The sooner, the better. 越快越好。

I have to finish the project. The sooner, the better.
我必須要完成這個專案，越快越好。

“the ...er, the ...er” 是「越是……越是……」的意思。
例如：“The richer you are, the more money you waste.”（你越有錢，就越會浪費錢。）

I still have things to do.

我還有事要做。

A **Let's go out for a walk.**
我們一起出去走走吧。

B **Sorry,** I still have things to do.
對不起，我還有事要做。

A **Why are you in a rush?**
你為什麼那麼急？

B I still have things to do.
我還有事要做。

I need to leave now. I still have things to do. 我現在要離開了，我還有事情要做。

還可以說"I've got work to do"（我有工作要做），或簡單地說"I'm busy"（我很忙）、"I've got plans"（我另有計畫了）。

Chapter 5 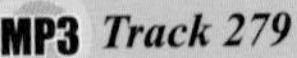

Time's up.
時間到了。

A Time's up.
時間到了。

B **But I'm not ready yet.**
可是我還沒準備好。

A Time's up.
時間到了。

B **Can you wait awhile?**
你可以等一下嗎？

Please put down your pens. Time's up. 時間到了，請停筆。

很多人會混淆的是"time out"與"time's up"。常常會在比賽聽到裁判說"time out"（暫停），而"time's up"則是「時間到」的意思。

I'll do my best.

我盡量；我盡力。

A **Please help me.**
請救我。

B **I'll do my best.** 我盡力。

A **Please ask her for me.**
請幫我問問看她。

B **I'll do my best.** 我盡量。

I'll do my best to solve the problem.
我盡力解決問題。

有一個很類似的說法“I'll try my best”（我會試著做到最好）這句話跟“I'll do my best”（我會做到最好）意思差不多，只是前者較容易給人「不確定」的感覺，後者聽起來比較是「真的有自信把事情做好」的感覺。

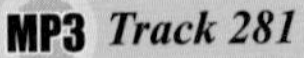

contact me

與我聯絡

A **Ms. Lee is not here.** 李小姐不在這裡。

B **Please tell her to contact me as soon as possible.** 請她快點與我聯絡。

A **Have you heard from Jet yet?**
你有傑特的消息了沒？

B **He hasn't contacted me yet.**
他還沒與我聯絡。

Please contact me as soon as possible.
請盡快與我聯繫。

"contact me" 是正式的「聯絡我」說法，另外有種口語化的說法："hit me up"，則是用於朋友之間，是「跟我聯絡；聯繫我、約我」的意思。

I wish to talk to you alone. 我想和你私下談談。

A **I wish to talk to you alone.**
我想和你私下談談。

B **About what?**
談有關於什麼？

A **Do you want to talk to me?**
你想跟我談談嗎？

B **Yes, I wish to talk to you alone.**
是的，我想和你私下談談。

Do you have time? I wish to talk to you alone. 有空嗎？我想私下跟你談談。

還可以說"Can we talk in private?"（我們能私下談談嗎？）、"Can I talk to you for a second?"（我能跟你談談嗎？）

Keep it up!

繼續努力；繼續加油！

A **How did I do?** 我的表現如何？

B **You have done a great job. Keep it up!**
你做得很好！請繼續努力（保持下去）！

A **Sally, you have improved a lot. Keep it up!**
莎莉，你進步了很多，請繼續加油！

B **Thanks, I will!** 謝謝，我會的！

Don't be down. Keep it up!
別灰心，繼續努力！

還可以說 "Keep up the good work!" （做得很好，繼續保持！）。

Good for you!

好啊！做得好！

A **Lucy and I are getting married.**
我和露西要結婚了！

B **Good for you! Congratulations!**
好啊！恭喜囉！

A **My boss loved my proposal and decided to give me a raise.**
老闆很喜歡我的提案，並決定給我加薪呢！

B **Good for you!**
做得好！

如果有人對你說“Good for you”，除了有「做得好！」的意思，也有可能代表他其實不太在乎你說的這件事，有種事不關己的冷淡回答，都取決於說話者的態度、語氣。

Chapter 5 MP3 *Track 285*

A little bird told me.

我聽說的。

A How did you know that our company is having financial problems?

你怎麼知道我們公司有財務上的困難？

B A little bird told me.

我聽說的。

A How did you know how much he makes a month?

你怎麼知道他一個月賺多少？

B A little bird told me.

我聽說的。

更多可能性

“A little bird” 是指「說小道消息的人」，小鳥飛來飛去四處說，所以“A little bird told me” 意思就是說「有一隻小鳥告訴我」，其實就是「某人跟我說」的意思，只是不知消息是從哪裡傳出來的？或是不想透露是誰說的。

Money talks.

金錢萬能。

A **She married the old man for his fortune.**
她因為那老人的財產而嫁給他。

B **Money talks.**
金錢是萬能的。

A **How did you persuade him to help you?**
你怎麼說服他幫你的？

B **Money talks.**
金錢是萬能的。

“Money talks” 字面上的意思是「錢會說話」，意思是「錢能打動人心；金錢是萬能的」，也就是中文所說的「有錢能使鬼推磨」。相反地，若覺得錢根本不是什麼一回事，則可以說 “Money will come and go.”（錢財乃身外之物）。

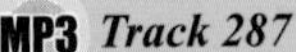

beat a dead horse

白費力氣

A I think we need to talk about it more. 我覺得我們需要再談談這件事。

B You are beating a dead horse. It is already settled.
你是在白費勁吧！這件事已經定了。

A I wonder if David would lend me some money? 不知道大衛願不願意借我錢。

B You are beating a dead horse borrowing money from him. He is a miser.
你跟他借錢簡直是白費勁！他是一個小氣鬼。

"dead horse"是「死馬」的意思，但"beat a dead horse"卻跟中文常說的「死馬當活馬醫」一點關係都沒有，它字面上的意思是「毆打一隻死馬」，其實指的是「白費力氣；徒勞無功」的意思。也可以說"flog a dead horse."，也是「白費力氣」的意思。

Be prepared.

準備好（要有心理準備）。

A Be prepared! **She is a very strict teacher.**
準備好喔！她是一個很嚴的老師。

B **Thanks for reminding me!**
謝謝你提醒我。

A **You should** be prepared **before you go to class.**
你去上課之前應該要先準備好。

B **Alright, I will.**
好的，我會的。

"Get ready" 也是「準備好」的意思，但強調的是準備的「結果」；而 "Be prepared" 則表示準備好應付某件事，表「狀態」。另外，我們常說「機會是留給準備好的人」，英文則是 "Opportunities are for those who are prepared."。

easier said than done.

說得比做得簡單。

A To get good grades, all you have to do is study hard.
你只要用功讀書就可以得到好成績。

B It is easier said than done.
說得比做得簡單。

A Relax! Don't be so nervous.
放輕鬆！別那麼緊張！

B It is easier said than done.
說得比做得簡單。

更多可能性

也有人會說"It's easy for you to say."（你當然說得很輕鬆）

例如：A: I don't ever worry about money.
（我從不擔心錢的問題。）
B: It's easy for you to say. You've got a rich daddy.
（你當然說的輕鬆，你有富爸爸。）

Chapter 5 MP3 *Track 290*

hit the jackpot

中大獎；走運

A **I hit the jackpot today! I won $100.**
我今天中大獎了！我贏 100 元。

B **Nice one! Dinner is on you!**
好樣的，今晚你請客！

A **The boss decided to give her a raise today.**
老闆今天決定給她加薪。

B **She hit the jackpot today!**
她今天走運了！

更多可能性

“hit the jackpot” 是從牌桌上流傳到日常生活裡的習慣用語，除了「賭博贏錢；中獎；賺了一筆錢」的意思之外，也有「走運」的意思。另外一個跟 “hit” 有關的習慣用語，則是學生在考試前很常用的：“hit the books”（用功啃書本），也就是用功唸書之意。

wrap things up

把事情整理一番，做個結束。

A Are you leaving yet? 你要走了沒？

B I want to wrap things up here before I go home.
我在回家前想要把東西告一段落。

A Before I go home, I will have to wrap things up.
在我回家前，我得把東西做個結束。

B Okay. I'll wait for you at home.
好的，我會在家等你。

Let's wrap it up, folks!
各位，我們準備收工！

更多可能性

一般去買東西，說的"wrap it up"，是「把東西包起來」的意思，如果是在工作場合聽到"wrap it up"，則是「收工；結束」的意思。

by the book

按照規定

A **What shall we do to make this project more practical?**
我們應該怎麼做來讓這個計劃更可行？

B **Let's finish this project by the book first.**
我們把這計劃先按照規定做完。

A **You have to do everything by the book in this company.**
在公司你必須照規定行事。

B **Ugh, I hate rules.** 我討厭規定。

更多可能性

有一種人做事只會跟著書本走，若用中文的成語「照本宣科」或「不知變通」來形容是相當接近的，但就有些貶損的意思。而英文"by the book"（按照規定）則要看所用的場合，若是要形容一個人動不動就搬出法規，按常規辦事，就可以這麼說了。

Chapter 5 MP3 *Track 293*

Now you're talking!

這才對嘛！

A OK, OK, I will forget about everything and enjoy myself tonight.
好啦！好啦！我今天晚上會忘掉一切，然後享受我自己。

B Now you're talking! Just relax!
這才對嘛！儘管好好的放鬆一下你自己。

A Fine, I will lend you $2000 more.
好，我再多借你 2000 元。

B Now you're talking!
這才對嘛！

"Now you're talking" 是一種非常酷的說法，表示 "That sounds good." （聽起來不錯。），帶一點 "good idea!" （好主意！）的感覺。 "Now you're talking" 字面上的意思是「現在你講話了」，實際上的意思是「這才像話；你這樣說才對嘛」的意思。

Mind your own business.

別多管閒事；不關你的事。

A **How much do you make a month?**
你一個月賺多少錢？

B **Can you mind your own business? That's a very personal question.**
不關你的事，那是一個很私人的問題。

A **Why don't you paint it white instead?**
你為什麼不改塗白色的？

B **Can you mind your own business? I like red.**
你別多管閒事，我喜歡紅色的。

帶有責備意味的句子，中文是「別管我的事！」，英文則是指「管你自己的事！」也可以說 "None of your business"（不關你的事）、"What is it to you?"（關你什麼事？）、或 "It's got nothing to do with you"（跟你沒關係）。

Hang in there.

堅持下去。

A Don't give up now! **Hang in there.**
現在別放棄啊！堅持下去！

B I'll try.
我會試試看。

A **Hang in there.** **I know you will make it.**
堅持下去，我知道你會成功的。

B Thanks.
謝謝。

更多可能性

"Hang in there" 可不是要人家把什麼東西「掛在那裡」，而是要對方「撐著點」，引申的涵義是「堅持下去；不要放棄」，也有人喜歡說 "Stay strong"（保持堅強）或 "stick it out"（撐到最後關頭）。

It's not my day!

今天運氣真糟！

A **I spilled coffee on my skirt! It's really not my day.**
我把咖啡灑到裙子上了！今天真是運氣不好。

B **Aw, Cheer up!**
開心點嘛。

A **When you finish that report, you have four more to do.**
當你寫完那份報告，你還有四份要做。

B **It's really not my day!**
我今天的運氣真糟。

“not my day” 字面上的意思是「不是屬於我的一天」，真正的意思是「今天運氣很背」。但若因為某人說了或做了什麼而讓你的一天裡突然有了亮點，讓你開心起來，你就可以對他說 “You make my day.”（你讓我太開心了；這一天因你而美好）。

Chapter 5 MP3 *Track 297*

That's news to me.

這可是新聞呢。

A Did you hear that the old department store is going to be closed down?
你有沒有聽說那家老的百貨公司要關門了。

B No. That's news to me!
沒有，還頭一次聽說呢。

A I heard that you got promoted to manager.
我聽說你被升為經理了啊！

B Really? That's news to me.
真的嗎？這對我來說還真是新聞呢！

更多可能性

有一句很類似的話是"that's new to me"，少了一個s，這句話是「這對我來說很新鮮」的意思，而"that's news to me"則是「這對我來說是新聞」，只差了一個字，意思卻不完全相同，在使用時要特別注意哦！

let someone off the hook

讓某人擺脫麻煩、脫離困境

A Would you stop asking questions and let me off the hook?
你可不可以不要再問我問題了，別再煩我了。

B Alright. Calm down.
好啦，你冷靜點。

A Did you yell at John for his being late? 約翰遲到了，你有沒有生氣？

B No, I let him off the hook this time, and made him promise never to be late again. 我這次饒了他，並要他答應下一次不可以再遲到了！

更多可能性

“off the hook” 字面上是「脫鉤」的意思，實際上就是 “get rid of” 「擺脫、狠狠甩開」的意思。另外，也有人用 “ring off the hook” （電話響個不停）來形容「非常忙碌，忙到一個爆炸」的狀態。

burn the candle at both ends

白天忙碌，晚上也要忙；花費很多精力

A **You seem extremely tired.**
你看起來非常累。

B **Not only do I have to work, I also have to take care of my kid. I'm burning the candle at both ends.**
我不僅要工作還必須照顧孩子，花費了很多精力。

A **Your new business seems to be going very well.**
你的新生意看起來經營得不錯喔！

B **Well, I had to burn the candle at both ends in the beginning.**
剛開始的時候我得花費很多精力！

"burn the candle at both ends" 就是中文說的「蠟燭兩頭燒」，就是「非常辛勤；耗費心力」的意思。

the bottom line is...

基本底線；最終結果；最重要的是……

A Do you know what our company's operating principles are?
你知道公司的營運方針是什麼嗎？

B I'm not sure, but the bottom line is a good profit margin.
我不太清楚，但基本要求是有好的利潤。

A We can earn money by selling these cups that we make.
我們可以賣我們做的這些杯子賺錢。

B The bottom line is that we'd lose money selling them.
我們最後還是會賠錢的。

更多可能性

"bottom line" 原指的是財務報表上，最後一行代表損益淨值的數字，引申意義為「底線就是……；結果是……；重點是……」。

爽學！無敵 300 生活常用語

老外天天都在說的生活英語，讓你快速地能開口說、聽得懂。

作　　者　曾婷郁
顧　　問　曾文旭
編輯統籌　陳逸祺
編輯總監　耿文國
行銷企劃　陳蕙芳
執行編輯　梁子聆
封面設計　吳靜宜
內文排版　王桂芳
法律顧問　北辰著作權事務所　蕭雄淋律師、嚴裕欽律師

初　　版　2017 年 09 月
出　　版　凱信企業集團 - 凱信企業管理顧問有限公司
電　　話　（02）2752-5618
傳　　真　（02）2752-5619
地　　址　106 台北市大安區忠孝東路四段 250 號 11 樓之 1
印　　製　世和印製企業有限公司

定　　價　新台幣 299 元 / 港幣 100 元
產品內容　1 書 + 1MP3

總 經 銷　商流文化事業有限公司
地　　址　235 新北市中和區中正路 752 號 8 樓
電　　話　（02）2228-8841
傳　　真　（02）2228-6939

港澳地區總經銷　和平圖書有限公司
地　　址　香港柴灣嘉業街 12 號百樂門大廈 17 樓
電　　話　（852）2804-6687
傳　　真　（852）2804-6409

國家圖書館出版品預行編目資料

爽學！無敵 300 生活常用語 / 曾婷郁著 . -- 初版 .
-- 臺北市：凱信企管顧問，2017.09
面；　公分
ISBN 978-986-94331-8-1（平裝）

1. 英語 2. 俚語 3. 會話
805.123　　106012160

本書如有缺頁、破損或倒裝，
請寄回凱信出版社更換。
106 台北市大安區忠孝東路四段 250 號 11 樓之 1 編輯部收

凱信企管

用對的方法充實自己，
讓人生變得更美好！